愛媛県管内地図 明治17年作画（愛媛県立図書館蔵）

大学的愛媛ガイド
——こだわりの歩き方

愛媛大学・松山大学「えひめの価値共創プロジェクト」編

昭和堂

保存修理工事前の道後温泉本館：日本最古の温泉、国指定重要文化財（松山市）

松山城天守の桜ライトアップ：国指定重要文化財（松山市）

西条まつりのだんじり：西条市指定無形民俗文化財（西条市）

瀬戸内しまなみ海道と島々：瀬戸内海国立公園（今治市）

伝統的な民俗芸能・継ぎ獅子：愛媛県指定無形民俗文化財（今治市）

大正5年創建の芝居小屋・内子座：国指定重要文化財（内子町）

遊子水荷浦の段畑：国指定重要文化的景観（宇和島市）

深浦漁港に水揚げされた生鮮カツオ：四国一のカツオ水揚げ高を誇る漁港（愛南町）

はしがき――「えひめ」を理解し愛でるために

本書は、このシリーズ「大学的地域ガイド」の第二一作になります。冒頭から私事で恐縮ですが、シリーズと聞くと、やはり、「男はつらいよ」のフーテンの寅さんシリーズを思い起こしてしまいます。渥美清さんの演じる寅さんが今も幅広い世代に知られ、このシリーズは昭和の日本を象徴する長寿映画となり、一人の俳優が演じた最も長い映画シリーズとして、ギネス世界記録に認定されています。このシリーズ第一九作「男はつらいよ寅次郎と殿様」(一九七七年八月公開)は、古くは水運の拠点として栄えた城下町で「伊予の小京都」と呼ばれる愛媛県大洲市を舞台に、マドンナに真野響子を迎え、伊予大洲藩一六代当主をゲスト出演の嵐寛壽郎が演じています。映画のなかで、寅さんは、例によって、伊予弁を話す人たちとふれあい、大洲街中のおはなはん通りや旧加藤家住宅など街並みのたたずまい、伊予大洲城址、肱川の恵である鮎の塩焼きや佃煮、鵜飼いなど愛媛の風物を堪能しています。他方、当時の映画館では二本立て(二作品を順々に上映)が一般的でした。少し調べてみたところ、偶然かどうかわかりませんが、もう一本は愛媛県松山市を舞台にした「坊っちゃん」で、中村雅俊が好演しています。これらの映画二作品で、愛媛という地域のイメージアップにもつながったのではないかと勝手に想像してしまいました。

さて、本書の意図は、極言すると、愛媛探訪のガイドブックです。つまり、「えひめ像」(愛媛という地域の姿や特質)を解説するなかで、愛媛への理解を深めていただき、その良さや魅力を感じ愛でてもらうことが目標です。つまり、愛媛にある多種多様な地域資源に対する価値を再考したり、新発見につながったりすることが期待されます。先ほどの映画二作品を改めて視聴してみると、山田洋次監督や前田陽一監督によって、愛媛の多岐にわたる地域資源がふんだんに描き出され、「えひめ像」ともいうべき地域イメージも浮かび上がってきます。僭越ながら、臆せずに言いますと、先ほどの映画二作品を地域への理解を深められる映像メディアとするならば、本書は地域資源の発掘と活用に主眼を置いた活字メディアということになります。

それで、本書の特徴は、こうした意図を実現するために、既刊のシリーズ「大学的地域ガイド」二〇作との違いを念頭に置いて、新たに二つの試みにチャレンジしたことにあります。

第一に、執筆体制と執筆陣です。既刊のものと異なり、愛媛大学と松山大学の二つの大学の協働による執筆体制をとったことです。愛媛の人たちから親しみを込めて「愛大(あいだい)」、松大(まつだい)」と呼ばれる大学の教員の協業にもとづく所産が、本書なのです。両大学は地理的に、カレッジロード(正式には、松山市道南北一〇一号線)と命名された道路を隔てて、東に愛大、西に松大が立地しています。それだけに、両大学間では、共同の研究事業や授業の相互乗り入れなどの連携があります。事実、本書企画の骨格になったのは、愛大と松大の共同研究事業(二〇一五〜二〇一六、二〇一七年度愛媛大学と松山大学との連携事業）のメンバー九名です。その研究成果はチームびやびや（愛媛大学・松山大学愛媛県南予地域共同研究プロジェクトチーム）編の『愛媛学を拓く』（創風社、二〇一九年九月刊）として刊行済みであり、両大学の授業に活用されています。そして、本書は、それをさらに俯瞰的に、かつ、多面的な角度から、「えひめ像」を描き出すことにしたわけです。それで、執筆陣は両大学を合わせて総勢二五名に及びます。執筆陣の皆さんは、国内外で優れた研究教育の実績を持ち、リージョナルな立場で愛媛という地域にこだわった研究や教育の実践、あるいは、グローバルな視点で愛媛をとらえて精力的な活動を展開している気鋭の大学人ばかりです。

第二に、執筆内容です。既刊の本シリーズの多くは歴史・地理・考古などの文化的な側面に比重を置いたものだと思います。そうしたなか、今一度、本シリーズの意図を立ち返ってみますと、それは地域にある大学が、その地域像を効果的にガイドするということに尽きます。したがって、地域に密着した取り組みを推進している両大学の教員が、愛媛の歴史や文化にとどまらず、産業や経済、社会や生活について総合的に、かつ、立体的に読み解くのが本筋だと考えたわけです。要するに、本書は、既刊の本シリーズよりも守備範囲を拡げて、多様な着眼点で「えひめ像」を捉え直そうと考えました。両大学の教員は、愛媛の魅力に惹かれ、愛媛を愛でて、愛媛を楽しんでいる人たちともいえるでしょう。愛大は社会共創学部をはじめ法文学部や教育学部、農学部の教員に、松大が人文学部や経済学部の教員に、それぞれ参画してもらいました。その結果、既刊のものより、学際的なアプローチから、ダイナミックに「えひめ像」を発信できるものと思っています。

それでは、本書の構成・内容を概括しておきます。本書は前にも触れたとおり、三部構成になっています。まず、第1部の「歴史と文化」は、海賊、遺跡、城下町、古墳、遍路、まつり、俳句、和紙、観光をキーワードにして地域文化を解説します。次に、第2部の「産業と経済」では、農林業、畜産、水産、食育、伝統産業、酒造、鉄道遺産、鉄道唱歌、道の駅をキーワードに地域産業を探求します。それから、第3部の「社会と生活」は、自転車、しまなみ海道、郷土料理、漁家女性、石積み、ダンス、リサイクル、コミュニティファーム、アーバンデザインをキーワードにして地域生活を検討します。当然、諸般の制約から全てを網羅することはできませんが、愛媛の見どころや秘めたる魅力、地域の特質といった「えひめ像」を伝えたいと思います。

話は戻りますが、本書は、学問の専門領域も多分野にわたる両大学の教員によって、愛媛という地域の多面的な側面を解説しています。私たちが目指したのは、「えひめの価値共創プロジェクト」という名前にもあるように、愛媛という地域の価値を共創することにあります。本書の執筆から刊行にいたる協働作業を通して、愛媛の新たな価値を一緒になって共に創り出そうという共創の精神を念頭に置きました。読者の皆さんには、旺盛な知的好奇心を喚起し、共感共鳴してもらえることを祈っています。この点の成否については、読者の皆さんの判断を仰ぎたいと思います。どうか、忌憚のないご意見やご感想をお寄せください。本書が新たな「えひめ学」構築の出発点となり、愛媛という地域の「知の集積」の基盤の一つとして、さらに、地域への還元、地域との共創にもつながっていけば幸いだと、私たちは考えています。

本書の刊行は、実に「難産」でした。企画から刊行まで長引いてしまうなか、終始、温かく見守り、かつ、根気よくサポートし、首尾よく作業を進めていただいたのは昭和堂の大石泉さんでした。長期間にわたる大石さんの労に、衷心より感謝を申し上げます。

改めて申し上げますと、冒頭に記した山田洋次監督の「男はつらいよ」シリーズ、前田陽一監督の「坊っちゃん」の足元にも及ばないでしょうが、本書をきっかけに、読者の皆さんが愛媛という地域の価値を見直したり、新たに発見したりしてもらえれば、望外の喜びです。

なお、今回の出版に際しては、二〇二〇（令和二）年度「松山大学教科書」の出版助成を得ることができました。松山大学の関係者に御礼を申し上げます。

今、「えひめ」という名の旅の扉が開かれました。さあ、本書を携えて、ご一緒に「えひめ」を楽しみましょう！

二〇二〇（令和二）年七月二〇日

愛媛大学・松山大学「えひめの価値共創プロジェクト」代表・責任編集者

若林良和（愛媛大学）

市川虎彦（松山大学）

第3部　社会と生活

第*1*部

歴史と文化

芸予諸島と海賊

山内　譲

はじめに

ここでは、海賊を中心にして芸予《げいよ》諸島(1)の歴史や文化について紹介していくことにするが、その前に解決しておかなければならない問題がある。それは、「海賊とは何か」ということである。

多くの人は、海賊というのは、武力を用いて航行中の船舶を襲撃する無法者の集団、というように理解しているのではないだろうか。海賊についての話をする前に、まずこのような誤解を解いておかなければならない。

海賊＝海の無法者という見方が広く人々の間に行き渡った背景にあるのは、パイレーツ

（1）瀬戸内海の中央部、広島県と愛媛県の間にまたがって多くの島々が集中する地域。

の存在であるというのが私の考えである。パイレーツはよく知られているように、大西洋やカリブ海で活動した海上武装勢力である。一方、海賊というのは日本の歴史上に実在した海上勢力である。全く別物であるにもかかわらず両者が混同されてしまって、現代人が海賊という言葉を聞いて思い浮かべるのは、略奪、海の無法者、船に取り付けられたドクロのマークといったパイレーツのイメージである。なぜこのような混同が起こったのかというと、明治や大正時代に「ピーターパン」や「宝島」などといったパイレーツの物語が日本に入ってきたとき「海賊」という日本史上の実在の言葉で翻訳したからではないだろうか。いずれにしても、ここではっきりと、日本史上の海賊とパイレーツは別物であるということを確認しておきたい。

ところで、「海賊」という言葉とは別によく使われる言葉として「水軍」という言葉がある。例えば、海賊衆としての村上氏は、しばしば村上水軍などと呼ばれる。別に間違った用法というわけではないが、私はできるだけ使わないようにしている。理由は二つある。ひとつは「水軍」は、史料用語ではないということである。つまり戦国時代以前の古文書や文献に「水軍」という言葉が出てくることはない（逆に「海賊」は史料用語だから古文書や文献に出てくる）。「水軍」という言葉は、海賊が歴史上から姿を消した近世以降になって軍学書などで使われ始め、主として近代以降に定着した言葉である。

もう一つの理由は、「水軍」という言葉を使うとどうしても軍隊のイメージが強くなるが、村上氏は、のちほど述べるように、専門の軍事集団ではなく、基本的には海の民とでもいうべき、海を生業の場として活動する人々であると、私は考えている。もちろん彼らは、「水軍」としての活動をする場合も数多くあるが、他方では、海運、交易や漁業など、多様な海にかかわる活動をしているのであり、「水軍」といってしまうと、そのような多様さが失われるのではないかとおそれるのである。「水軍」という言葉を使うのであれば、「海賊衆村上氏は戦国大名毛利氏の水軍として活動した」というような使い方をすべきだろう。

1　海賊の本当の姿

それでは本題にもどることにしよう。海賊はパイレーツとは別物であり、水軍という言い方も適切でないと述べてきたが、それでは海賊の本当の姿はどうなのか。これを一言で表現するのはなかなか難しい。海賊はいろいろな顔を持っているからである。「海賊」という言葉は多くの場合マイナスイメージで使われるが、場合によってはプラスイメージで使われることもある。そのようななかで海賊の最も本源的な姿は、「通行料を徴収する人」といえるのではないだろうか。

瀬戸内海を船で旅する人の記録を見てみると、たまに旅の途中海賊と遭遇したことを記しているものがある。航海をしている船が海賊と遭遇するとどのようなことが起こるのだろうか。たいていの場合、船に接近してきた海賊は、船の乗組員や船客に通行料を要求する。旅人から見ると、何の標識もない海域を航行しているときに突然海賊が接近してきて銭や物を要求されると、それは理不尽で不当な要求にみえるはずで、そこから海賊についての略奪のイメージが生まれてくるのであるが、一方注意したいのは、海賊に支払われる銭が当時の言葉で「礼銭《れいせん》」と表現されていることである。突然接近してきた海賊に対して船の側が礼をするいわれはないように思われるが、そこには現代人には理解しがたい中世独特の事情があったことが想像される。

「礼銭」という言葉の背後に潜んでいるのは、航海する船舶が本来航行してはいけない領域、あるいは何らかのあいさつ抜きでは航行できない領域を航行したという意識ではないだろうか。それでは、何の標識もない、いわば公の海をなぜ勝手に航行してはいけないのか。それは、おそらく、そこが海賊、すなわちその海域の領主たちの生活の場、いわばナワバリだったからである。海賊のナワバリの中を通過する限り、通行料を支払わなければならないという意識が当時の人々にはまだ残っており、それが、「礼銭」という言葉になって表れたのではないだろうか。これを海賊の側からみれば、ナワバリの中を通過する船舶から通行料を徴収するのは当然の権利ということになる。

しかし、そのような礼銭意識は、次第に薄れていく。目に見えないナワバリを理解することができない通行者には、通行料を求める海賊の行為が次第に不当なものに思われるようになったからである。この礼銭の感覚が人々の意識の中から完全に消え去ったとき、海賊の行為は略奪とみなされるようになるのではないだろうか。

なお、このように様々な海賊が浦々にいて通行料を要求するという状況は、旅をする側からするとはなはだ都合が悪い。とりわけ九州—畿内間を頻繁に行き来して遠隔地商業に従事する商人たちにとっては、海上交通や交易を妨げる要因になる。そのような状況を踏まえて、新しいシステムが生み出される。それは、有力な海賊を雇って船に乗せるという方法である（これを上乗りという）。そうすると、航行する船舶の側は、浦々の海賊に妨げられることなく、航海をすることができる。そして、上乗りをする海賊の側は、出発地または終着地で警固料という名目で銭貨を入手することになる。このように海賊は、一方では航海の安全を保障する役割を果たすこともあったのである。これらを整理すると、海賊とは、通行料や警固料の徴収を生業とする海の民、ということになろう。

2 海賊の拠点

このような海上交通にかかわる様々な活動をする海賊の中から有力な海賊が成長してくることになるが、芸予諸島を本拠とする村上氏もそのような海賊のひとつである。よく知られているように、村上氏には能島《のしま》・来島《くるしま》・因島《いんのしま》の三つの系統があり、その村上三家の力が最も大きく発揮されるのが戦国時代である。

芸予諸島には、海賊の拠点となる城が点在している。興味深いのは、それらの城が他の戦国武将の城と大きく異なることである。戦国時代の城といえば、標高二〇〇メートル前後の山間部に築かれるいわゆる山城《やまじろ》が一般的で、そこには平坦地としての曲輪《くるわ》、それを防御するための空堀《からぼり》や土塁が設けられているのが普通である。しかし、海賊の城は、そのような山城とは大きく様相を異にしている。それは、小さな島全体を要塞化しているからである。

私は、このような海賊の拠点となる城を山城に対して海城《うみじろ》と呼ぶことにしている。そのような海城が芸予諸島、とりわけしまなみ海道[(2)]沿線には数多く見られるのである。したがっ

(2) 広島県尾道市と愛媛県今治市を結ぶ西瀬戸自動車道の通称。多くの島々を橋でつなぐところから、このようによばれる。

て、私に言わせれば、しまなみ海道は海城ゾーンであるということになる。

能島城

いくつか具体例を挙げてみることにしよう。今治から尾道に向かってしまなみ海道を進むと、まず最初に渡るのが来島海峡《くるしまかいきょう》大橋である。その来島海峡大橋が海にさしかかるあたりから左手後方を見渡すと、今治市波止浜《はしはま》の沖に浮かぶ来島城を見ることができる。また橋脚が立つ馬島《うましま》を過ぎてすぐの右手には、灯台のある中途島《なかとじま》が位置しているが（今治から大島に向かっているときには、橋の陰になって見えにくい）、これも中途城の跡である。さらにすぐ左手下には、務司《むし》城の名残をとどめる武志島がある。大島をすぎて伯方・大島大橋を渡るときには、右手遠方に小さく国指定史跡の能島城跡を見ることができるし、橋脚の立つ見近島《みちかじま》は、発掘調査によって多数の陶磁器が出土した島である。また、多々羅《たたら》大橋を渡るときには、右手遠方に県指定史跡の甘崎《あまざき》城跡を望むことができる。

そのような海城は一体どのような構造をしているのであろうか。試みに、能島村上氏の本拠能島に上陸してみることにしよう。島の周囲は約八六〇メートル。その上が三段に削られていて、いくつかの曲輪と呼ばれる平坦地がある。その平坦地は明瞭に確認することができるが、普通の山城につきものの堀（壕）や土塁、石垣などはない。

戦国時代の城としては、能島城は一見小さくて、そして構造も単純である。中世城郭に詳しい人を何度か能島に案内したことがあるが、それらの人々は一様に、あの有名な能島城がこんなに小さいのか、という感想を漏らす。どうも城主能島村上氏の声望の大きさと、目の当たりにする遺構の意外な小ささの落差に戸惑うようである。

写真１　能島城跡から伯方・大島大橋を望む

確かに、島そのものは小さいが、しかし、能島城は本当に小さいといえるのだろうか。私に言わせれば、能島城を小さいとする見方は、〝陸からの見方〟ではないかと思う。陸地部にたくさん残されている山城と比べると、能島城は確かに小さいかもしれない。しかし、それを陸からの目ではなく、海からの視点で見直してみると、ちょっと違うのではないかという気がする。

実は、海城は島の部分だけからなっていたのではない、と考えられるからである。海城の場合、島の部分だけでなく、島の周囲の海面も城の一部ではないのか。能島城跡に立って周囲の海面に目を転じてみると、潮の変わり目などには、まさに白波を立てて川のように流れている潮流を目のあたりにすることができる。そのようなものを見ると、海城にあっては、海面が土塁であり、潮の流れが堀の役割を果たしているのではないかという気がする。

そのような見方をすると、海城は決して小さくないし、構造も単純というわけではない。また、攻められると弱いわけでもない。このように、海城を見る場合は、その島の部分だけでなく周囲の海面や潮流などを見てみる必要があるといえる。

海面や潮流のほかに、海城を見る場合に重要な部分がもう一つある。島の周囲の岩礁上に残された柱穴である。なかには柱穴が等間隔に並んでいるようなところもある。これらはかつて何らかの繋船施設があった跡ではないかと考えられている。もしそうであると海城の周りを繋船施設が取り巻き、いつでも船が発着できる状態になっていたことになる。

来島城

能島城と並ぶもう一つの重要な海城が、来島城である。来島城は、今治市波止浜《はしはま》の沖合約五〇〇メートルのところに浮かぶ海城である。周囲約八五〇メートルほどの小さな島全体を要塞化したものであるが、この要塞は、遠望するとあたかも海に浮かぶ軍艦のように見える。この来島城の位置は、北から南に向かって細長く湾入した波止浜の入江の入口にあたり、同時に、そこは芸予諸島を南北に抜ける際の主要航路来島海峡の西端でもある。波静かな波止浜の入江を船溜りとし、そこに集結した船舶を駆使して来島海峡をにらんでいたことが推測される立地である。

城跡は長く荒れるに任せられていたが、近年地元の人々の手によって繁茂した竹や雑木が切り払われ、遺構の状況が見やすくなった。現地に上陸してみると能島同様海城の構造を目の当たりにすることができる。来島に向かうには、波止浜の港

写真2　来島城跡

写真3　来島海峡

から島めぐりの小さな渡船に乗るのがよい。渡船が桟橋から離れて数分もすると、眼前に〝軍艦〟の姿が迫ってくる。

〝軍艦〟の印象を作り出しているのは、島の西側を南北に走る丘陵上に数段の段差をもって設けられた曲輪群の存在である。標高四七メートルのピーク地点に設けられた南北に細長い曲輪（Iの曲輪）から南に向かって数段の曲輪が連なっている。この一連の曲輪は、島の西側を守る強固な防壁を形成すると同時に、狭い水道を間にはさんで西方の陸地部を観望する役割を果たしている。またIの曲輪からは島の東側に向かって小さな尾根がのびていて、この尾根上にも曲輪が設けられているが、その先端部は、主要航路である来島海峡を眺望するのに最適の地点となっている。ただ現在は、前方に来島海峡大橋が威容を誇っており、海の世界に思いをめぐらせようという者には、いささか複雑な思いを催させる。また、島の西側、東側は、岩礁に取り巻かれているが、潮がひいてこの岩礁が露出すると、能島城同様無数の柱穴を確認することができる。これらも繋船施設の跡である。

写真4　大山祇神社

大山祇神社

芸予諸島のもう一つの重要な歴史遺産は、大三島に鎮座する大山祇《おおやまずみ》神社である。山の神にして海の神でもある大山積神を祀る大山祇神社は、当然のことながら瀬戸内の海賊衆の崇敬の対象となった。現在に伝えられている多数の武具、甲冑類の中には彼らの寄進になるものも少なくないと思われるが、もうひとつ彼らの信仰のあとを示すものとして忘れてならないものに法楽連歌《ほうらくれんが》がある。これは、室町時代の一四四五年（文安二）から江戸時代の一六七一年（寛文一一）に至る二二〇年余りの間に、神社にかかわる多種多様な人々が連衆となって詠みついでいったもので、現在二八〇余巻が伝存している（重要文化財）。そして戦国末期の連衆の中には、村上一族と覚しき人名を多数見出すことができる。

特に一五七六年（天正四）の五月から七月初旬にかけての時期には、能島村上氏の統率者武吉《たけよし》・元吉《もとよし》父子、来島村上氏の統率者通総《みちふさ》の名がたびたび見られる。同年七月中旬に、村上諸氏が毛利方水軍の中心となって大坂湾で織田信長の水軍と戦った木津川《きづがわ》口合戦が行われたことを考えるならば、彼らが単に大山祇神社の神前において風流を楽しんだだけでないことが推測される。このように大山祇神社は、海賊衆の信仰生活においても大きな位

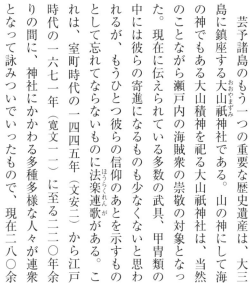

置を占めたのである。

〔参考文献〕

山内　譲『瀬戸内の海賊―村上武吉の戦い―〈増補改訂版〉』新潮社、二〇一五年
山内　譲『海賊の日本史』講談社現代新書、二〇一八年

column

しまなみ（上島町）の製塩と遺跡

槙林啓介

かつて昭和中期ごろまで、瀬戸内海の沿岸のいたるところに、塩田風景が広がっていたことはよく知られている。しかし、その製塩は塩田が営まれるはるか以前の弥生時代や古墳時代から盛んに行われ、その伝統の上に塩田による製塩が始まり、つい最近にいたるまで存在してきたことはどのくらいご存知だろうか。

しまなみの芸予諸島のなかほどにある上島町《かみじまちょう》では、このところ、製塩に関わる歴史遺産の調査が続いている。上島町は主に弓削島《ゆげじま》、生名島《いきなじま》、岩城島《いわぎじま》、佐島、そして魚島群島《うおしまぐんとう》からなる。弓削島は、中世の時代、京都の東寺（教王護国寺）の荘園であったところで、ユネスコ「世界の記憶」に登録されている東寺の百合文書《ひゃくごうもんじょ》には塩の貢納に関わる記述が多数あり、「塩の荘園」として知られている。しかし、それは文献史の世界であり、実のところ歴史遺産や遺跡についてはこれまでほとんど分かっていなかった。弓削島のとなりには佐島がある。ここは石清水八幡宮の荘園であった。この佐島の東側、宮ノ浦海岸にある宮ノ浦《みやんな》遺跡という遺跡で、二〇一一年度から、上島町教育委員会と愛媛大学が発掘調査を行っている。これまでに、主に古墳時代前期（約一七〇〇年前）と中世（鎌倉時代ごろ）の製塩活動の跡が発見されている。古墳時代前期の製塩跡では、製塩炉や大量の製塩土器が出土した。中世の製塩跡には、揚げ浜式塩田跡の一部が見つかっている。古墳時代と中世の二時期の製塩活動がしっかりと残る遺跡としては瀬戸内海で初めての発見で、瀬戸内海島嶼部の塩業の歴史を復元するに非常に重要な遺跡となっている。

世界に数ある製塩法のうち、日本列島では基本的に海水を原料にしたものが主である。それには大きく二工程がある。海水を汲み、様々な方法によって塩分濃度を高め鹹水にする採鹹《さいかん》工程。その鹹水を土器や塩釜に入れて煮詰めて塩を生成する煎熬《せんごう》工程。「藻塩焼き」や「塩田」も採鹹工程の様々な方法のひとつを指したものなのである。それらは、煎熬工程を効率よく行うために、先人が試行錯誤した結果なのである。

宮ノ浦遺跡の古墳時代では、土器の底に脚をつけて高くした製塩土器を使っていた。製塩炉に置き並べた製塩土器に絶えず鹹水を継ぎ足し、水分を蒸発させ塩を結晶化させるのである。これまでの古墳時代の塩業研究では、具体的な製塩技術や製塩集団の実態の解明、そして製塩土器が遠く山陽や近畿の遺跡にも出土することから、畿内王権や地方豪族との政治的関係にも論究されてきた。同じく、宮ノ浦遺跡でも土器の分析から、瀬戸内海両岸の今治や尾道周辺との集団関係が分り始めている。

宮ノ浦遺跡の中世の揚げ浜式塩田跡も重要である。揚げ浜式塩田をつくるには、海水を撒いたときに下に浸透しないような土や砂と、海水がうまく蒸発するような砂が必要で、それらをうまく敷き固める。発掘調査で見つかった揚げ浜式塩田跡の断面は、まさにそうした構造であった。そもそも、揚げ浜式塩田の実態については、考古学的にはほとんど分かっていない。発掘調査されてこなかったのである。近世から昭和中期まであった入り浜式塩田は、すでに廃止され、工場や宅地あるいは養殖場へと変貌して今はもう見ることができない。中近世の絵巻などにも塩田風景が載っているが、塩田の構造までは描かれていない。本格的に発掘調査されたのは、赤穂市堂山遺跡など数えるほどで、歴史遺産として保存・整備されているものとなるとほぼ皆無である。そうした現状を考えると、宮ノ浦遺跡の意義は大きいことがわかる。

また、宮ノ浦遺跡では前述の古墳時代前期と中世の二時期のものだけでなく、古墳時代後期（約一五〇〇年前）と奈良時代の製塩土器もわずかであるが見つかっている。つまり、この地では一七〇〇年前から、連綿と製塩を営んでいたことになる。さらに、近世の江戸時代頃の土層からワタの花粉が検出された。また、近代から昭和初期頃までは桑畑であり、その後は蜜柑畑として利用されたことは聞き取り調査等でわかっている。ワタは綿織物を、桑は絹織物のための養蚕の存在を裏付ける。

こうした事実は何を意味するのだろうか。製塩、綿作、桑作、蜜柑作、すべて重要ななりわい・産業そのものである。また、宮ノ浦遺跡では見つかっていないが、この地域では近世および近代では入り浜式塩田が盛行する。そして、その塩業は昭和中期の一九七一年を最後にすべて廃止され、造船場や養殖場など新たな産業に変貌していった。上島町佐島に姿を見せてくれた宮ノ浦遺跡は、この地域の一七〇〇年の製塩の伝統を今に伝えてくれる。さらに、製塩はもちろんのこと、様々な産業の痕跡は、その時代、その時代の政治・経済的な需要を注視しながら、生産・供給できるものを選び、そのための適地を探して生活を営んだしまなみ島嶼部の人々の歴史の一端を垣間見せてくれるのである。

現在、上島町では中世揚げ浜式塩田の遺跡調査が始まっている。将来、宮ノ浦遺跡やそれらの遺跡は、上島町、そしてしまなみ芸予諸島の歴史遺産として、地域の歴史を伝える大切な拠りどころになることを期待したい。

写真1　宮ノ浦遺跡遠景

写真2　宮ノ浦遺跡の製塩土器とその出土状況

〔写真出典〕
写真1　上島町教育委員会編『愛媛県越智郡上島町宮ノ浦Ⅲ―第6次・第7次発掘調査報告書』、二〇一八年
写真2　上島町教育委員会編『愛媛県越智郡上島町宮ノ浦Ⅱ―第1次～第5次発掘調査報告書』、二〇一六年

屏風絵で歩く伊予の城下町——松山と宇和島

井上正夫

はじめに

ここでは、屏風絵をもとに、藩政時代の城下町を探索する楽しみを紹介したい。

愛媛県には、『松山城下図屏風』と『宇和島城下絵図屏風』が伝来しており、そのうちの『松山城下図屏風』は一七一五年頃の作品である。絵には、人物は全く登場しないが、道路や水路の描写が細かい。一方の『宇和島城下絵図屏風』は一七〇〇年前後の作品である。そこには、人や動物の姿が生き生きと描かれている。

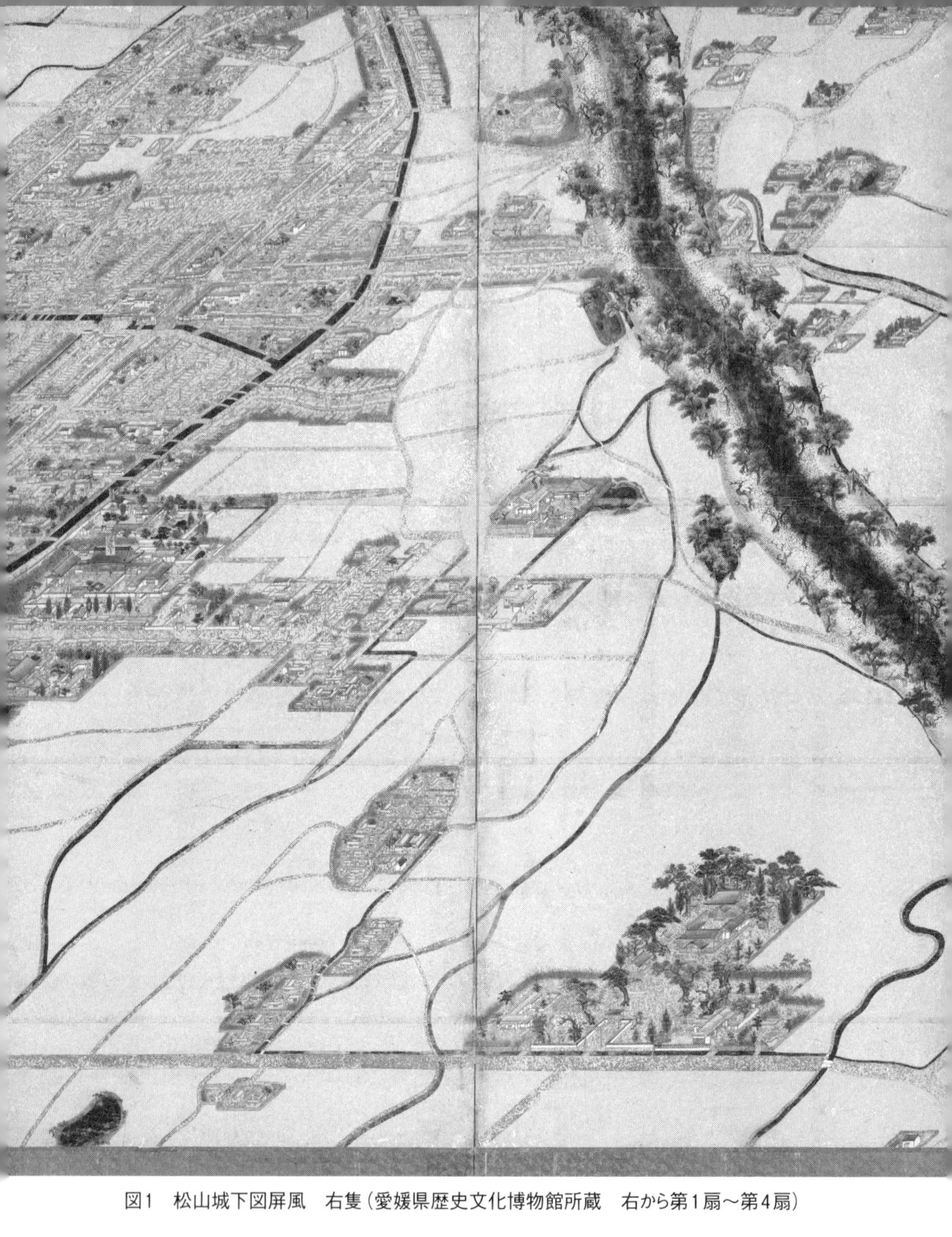

図1　松山城下図屏風　右隻（愛媛県歴史文化博物館所蔵　右から第1扇〜第4扇）

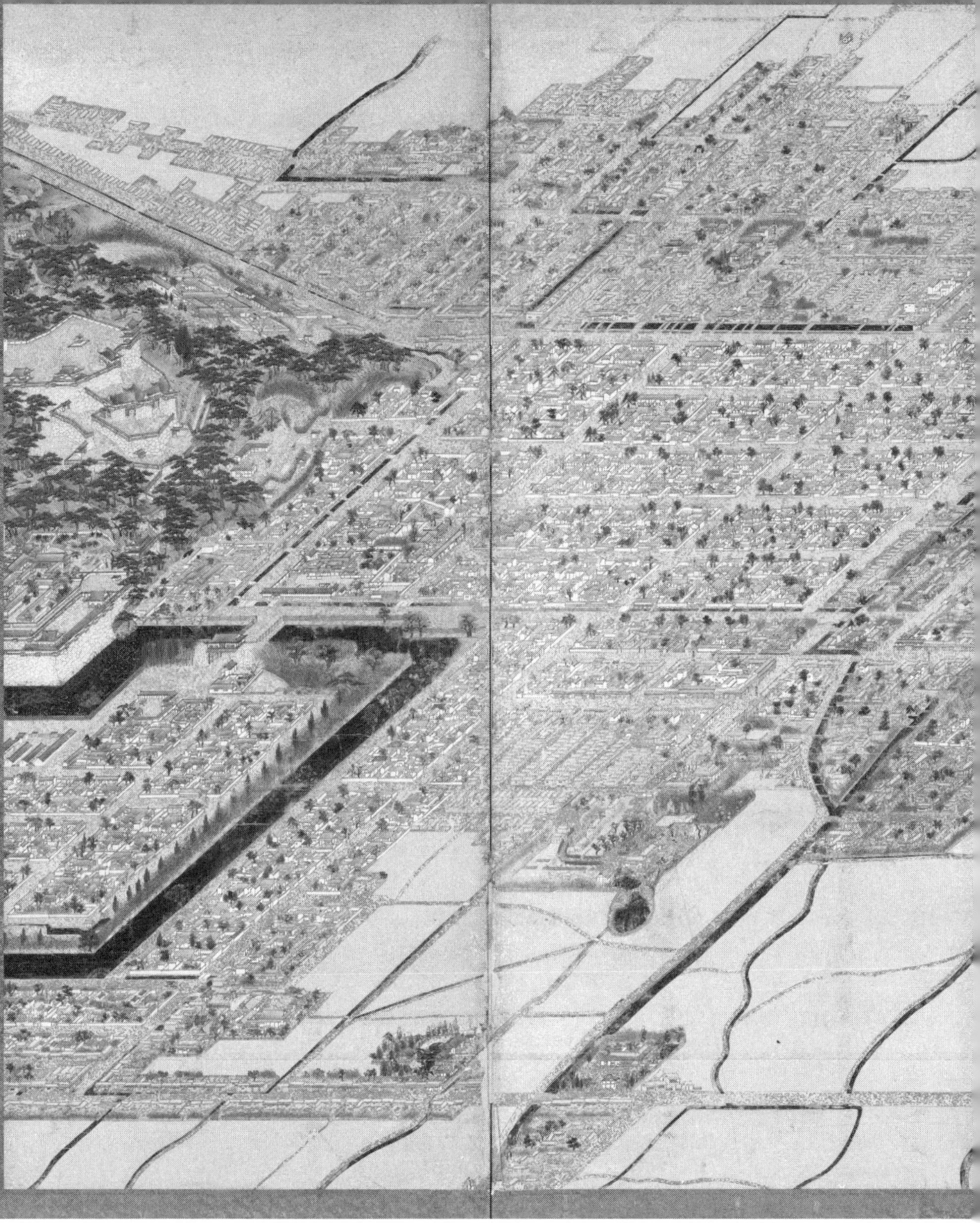

図2　松山城下図屏風　左隻（愛媛県歴史文化博物館所蔵　右から第1扇～第4扇）

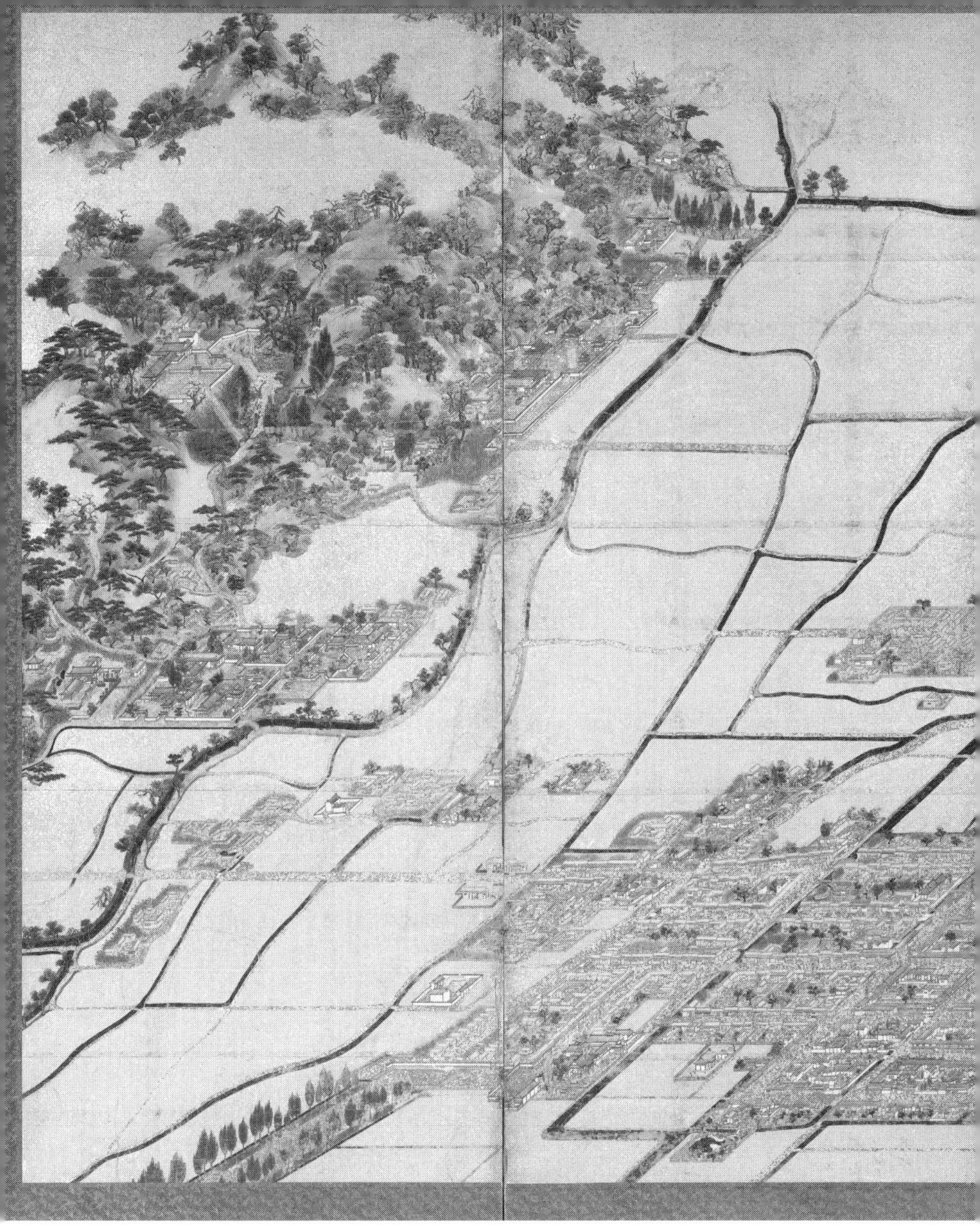

1　松山城下図屏風

全体の眺め

『松山城下図屏風』は、南西の方角からの風景として描かれており、右隻《うせき》がお城の南側、左隻《させき》が北側である（図1・図2）。

屏風の右隻から眺めてみよう。それぞれの場所が今のどこなのかを推定する上で、手がかりとなるのは、お城の「お堀」である。また、右端の大きな川は「石手川《いしてがわ》」、第2扇から第3扇をまたいで流れるのが「中之川《なかのがわ》」であろう。今の中之川は松山市駅あたりが暗渠になり、「中之川通り」として利用されている（図3）。

第4扇のお城の上側（つまり東側）の道を見てみよう。他の道が東西方向

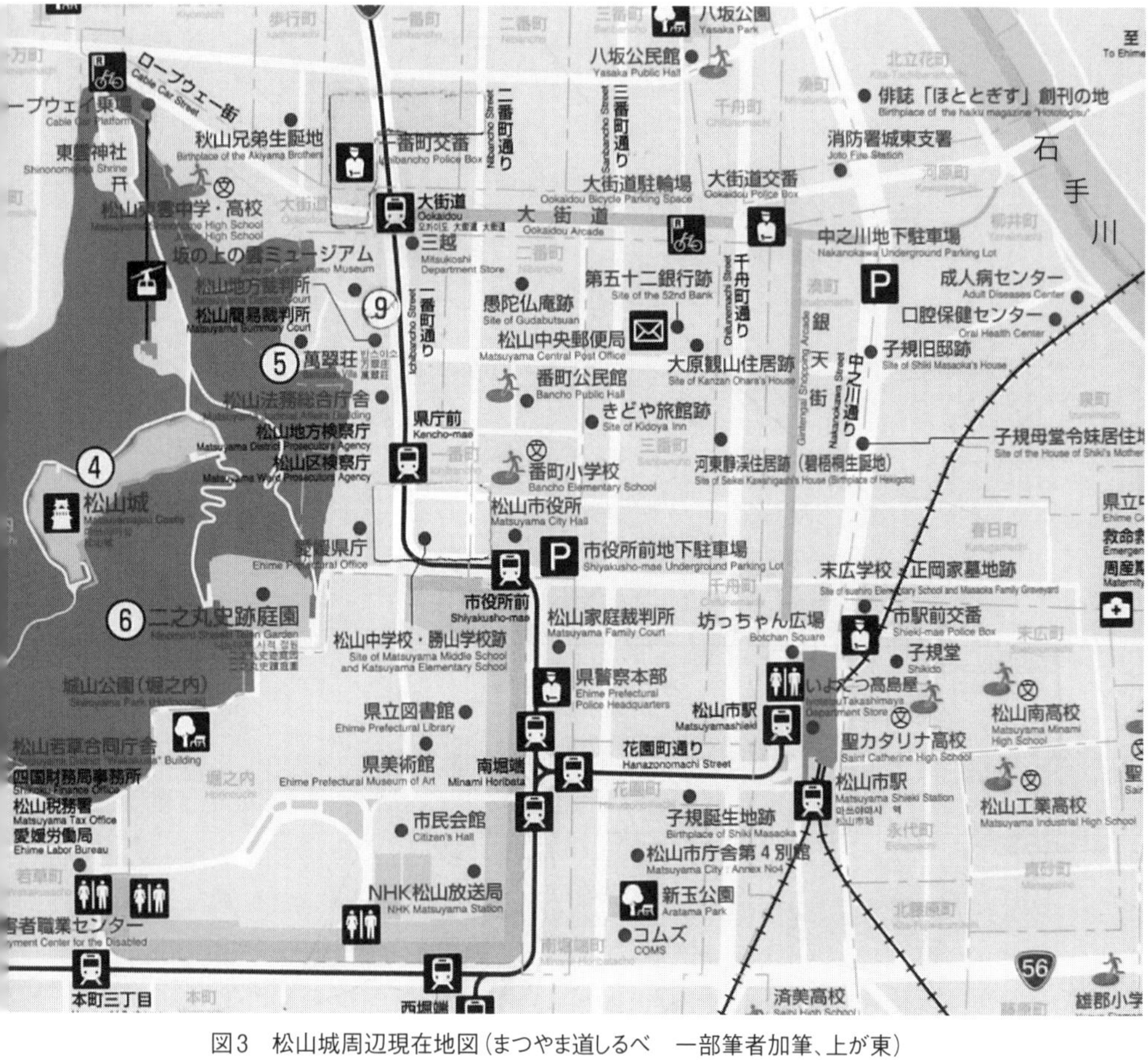

図3　松山城周辺現在地図（まつやま道しるべ　一部筆者加筆、上が東）

あるいは南北方向に通じているのと違って、この道は北東から南西に向かって斜めについている。この特徴から見て、今のロープウェー街である（図3）。ロープウェー街は、一番町の手前で少し曲って、その先が大街道《おおかいどう》なので、屏風でも、斜めの道から続く通りは、今の大街道に違いない。

左隻でも、やはりお堀がわかりやすい。一番左の山が「御幸寺山《みきじさん》」。そのふもとを流れるのが「大川」である。

道の独特な形状からの探索

城下の探索はJR松山駅を出発点としたい（図4）。普通なら、お城の方には、路面電車の走っている広い県道を進むのだが、県道より一つ北側の裏道を歩いてみよう。

東（つまり上）へ、伊予鉄道高浜線の踏切を渡り、味酒《みさけ》町を越えて萱《かや》町に出ると、そこは「クランク」である（以下、図4）。それを過ぎると、左方向に松前町の通りがあり「丁字路」になっている。さらに東に進めば、今度は南方向（つまり右）に道があり、また丁字路である。その先が西堀端なので、ここでは、「萱町クランク➡丁字路➡丁字路➡西堀端」という組合せを確認しておく。

図4　松山駅前地図（まつやま道しるべ　印は筆者加筆、上が東）

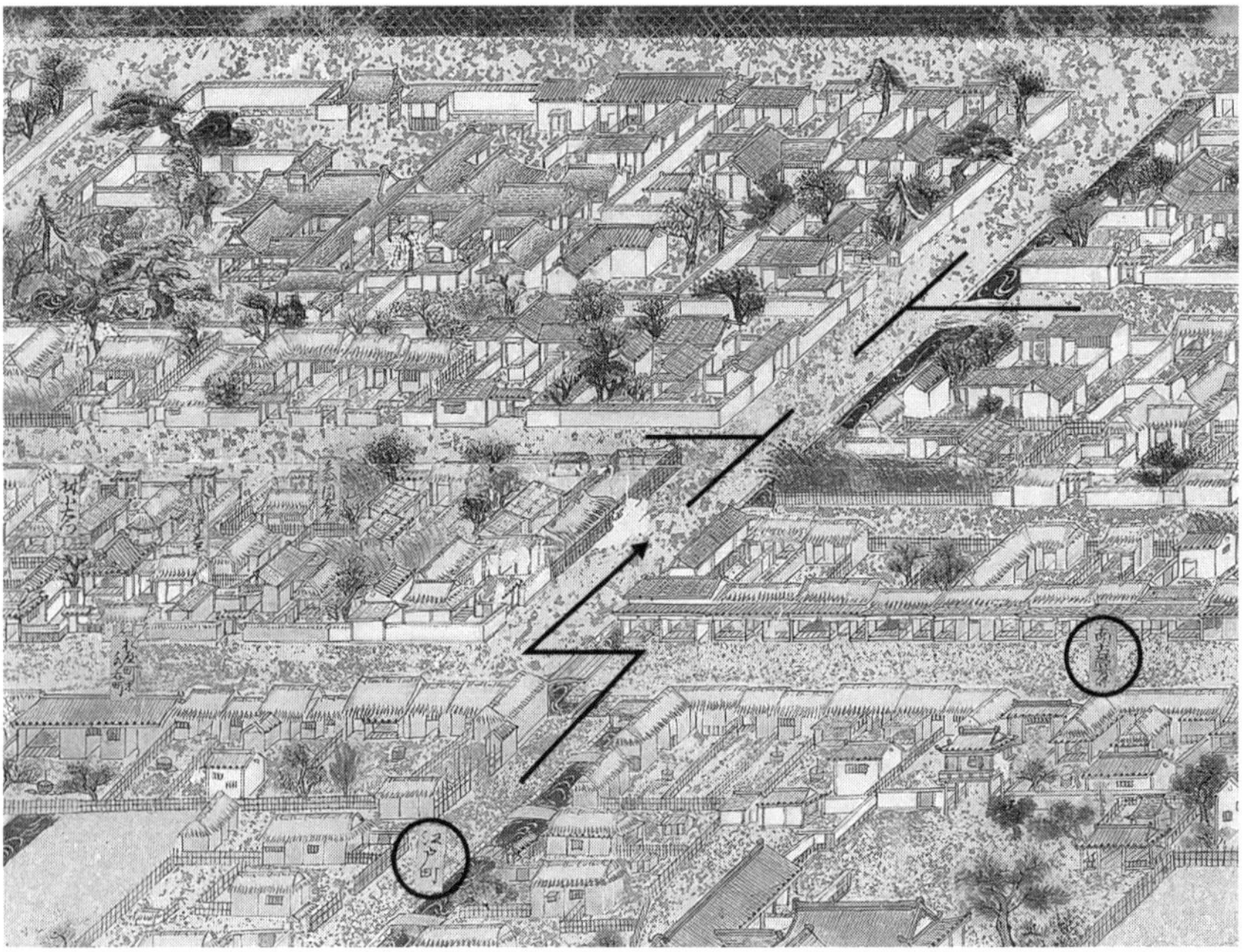

図5　クランクと丁字路（松山城下図屏風　印は筆者加筆）

一方、屏風の左隻でも、第1扇の下の方に同じようなクランクが見出せる（図5）。右手に「南古萱町」とあるから、その左右の道は今の萱町の通りである。そこを越えて上（つまり東）に進むと、左（つまり北）方向に道があり丁字路で、さらに進むと、道が右（つまり南）にあり、またも丁字路である。そして、その先が西堀端なので、屏風でも「萱町クランク⬇丁字路⬇丁字路⬇西堀端」の組合せになっている。この一致から見て、双方の経路は同じである。屏風では、クランクの手前を「江戸町」とするから、駅から来た裏道は、かつての江戸町の通りである。

右隻の世界――中之川から大街道とロープウェー街へ

右隻第2扇の中央には「法龍寺」「蓮福寺」とある（図1・図6）。位置関係から見て、第3扇の中央、中之川の左あたりが今の松山市駅であろう。

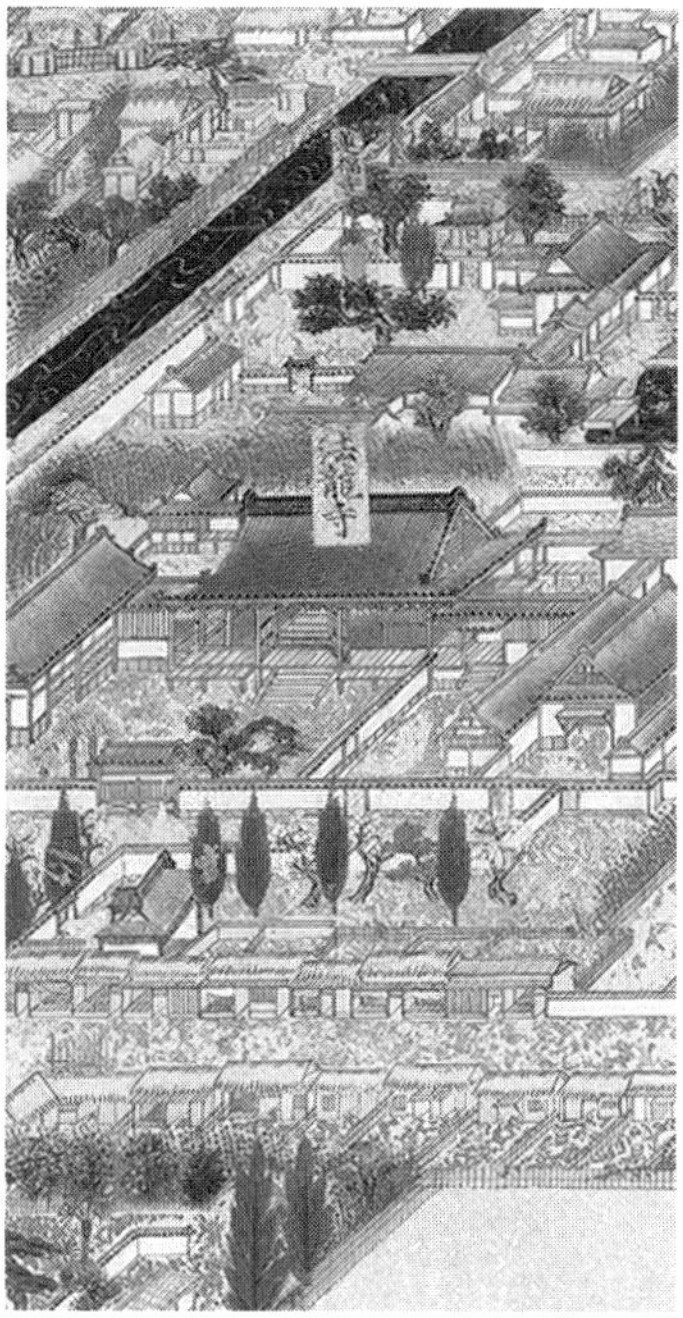

図6　法龍寺周辺（松山城下図屏風）

また、大街道のわきには水路が見える。今の大街道には水路はない。屏風には他にも多くの水路が描かれているから、当時の松山城下は「水の町」である。

さきほどのロープウェー街に相当する斜めの道を見てみよう。右隻第4扇の上の方にお屋敷があるのは（図1）、現在の松山東雲《しののめ》中学・高校である（図3）。校門の奥には今でも立派な石垣が残っている。その東側には、「坂の上の雲」で有名な秋山兄弟生誕地がある（図3）。少し時代は違うが、そのあたりを秋山兄弟は闊歩していたのである。

斜めの道をさらに左上の方に進めば、家は途絶えてしまう（図1）。屏風の時代の城下はこのあたりまでだったのである。

左隻の世界――城北の水路をたどる

左隻では、先に見た西堀端から左（つまり北）へ進もう（図2・図3）。現在、お堀の北端の角あたりを「札の辻」というが、なるほど、屏風では板札が掲げられている（図7）。

次に、第3扇の左下で直角に曲がっている川を見てみよう（図2）。この曲がり方の特徴から考えて、現在の「宮前川」である。宮前川は、屏風では、第2扇と第3扇の切れ目のところで屈折していて、そこからは左斜め下の方向に水路と道が分岐している（図2・図8）。一方、現在の宮前川も清水公園の上（つまり東）で同じように屈折しており、そこからは北西の方向に斜めの細道が分岐している（図9）。この今昔双方の形状の一致から見て、双方の場所は同じである。もっとも、今は、分岐していたかつての水路は消滅して、斜めの道だけが残っている。道は、その先のコイノニア幼稚園に入って、幼稚園の西側で再び姿を現す。幼稚園の事務所の建物が、斜めに切り取られたような不思議な形をしてい

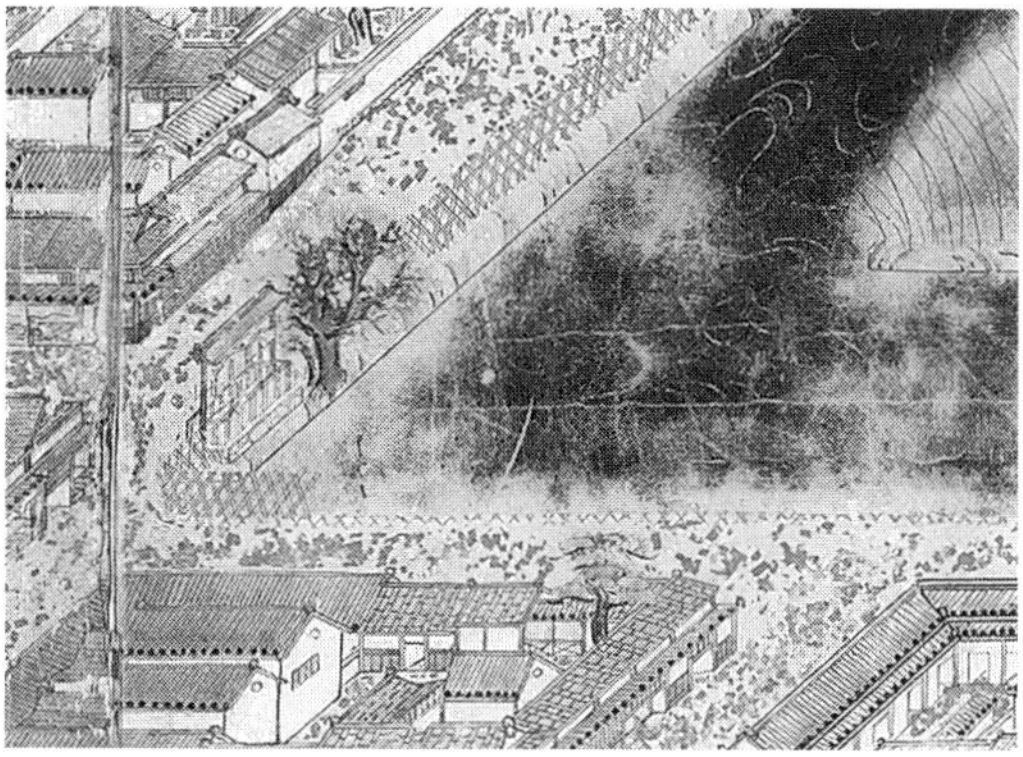

図7　札の辻（松山城下図屏風）

図9　清水公園周辺地図（松山中心図　上が東、地図使用承認©昭文社第62G001号）

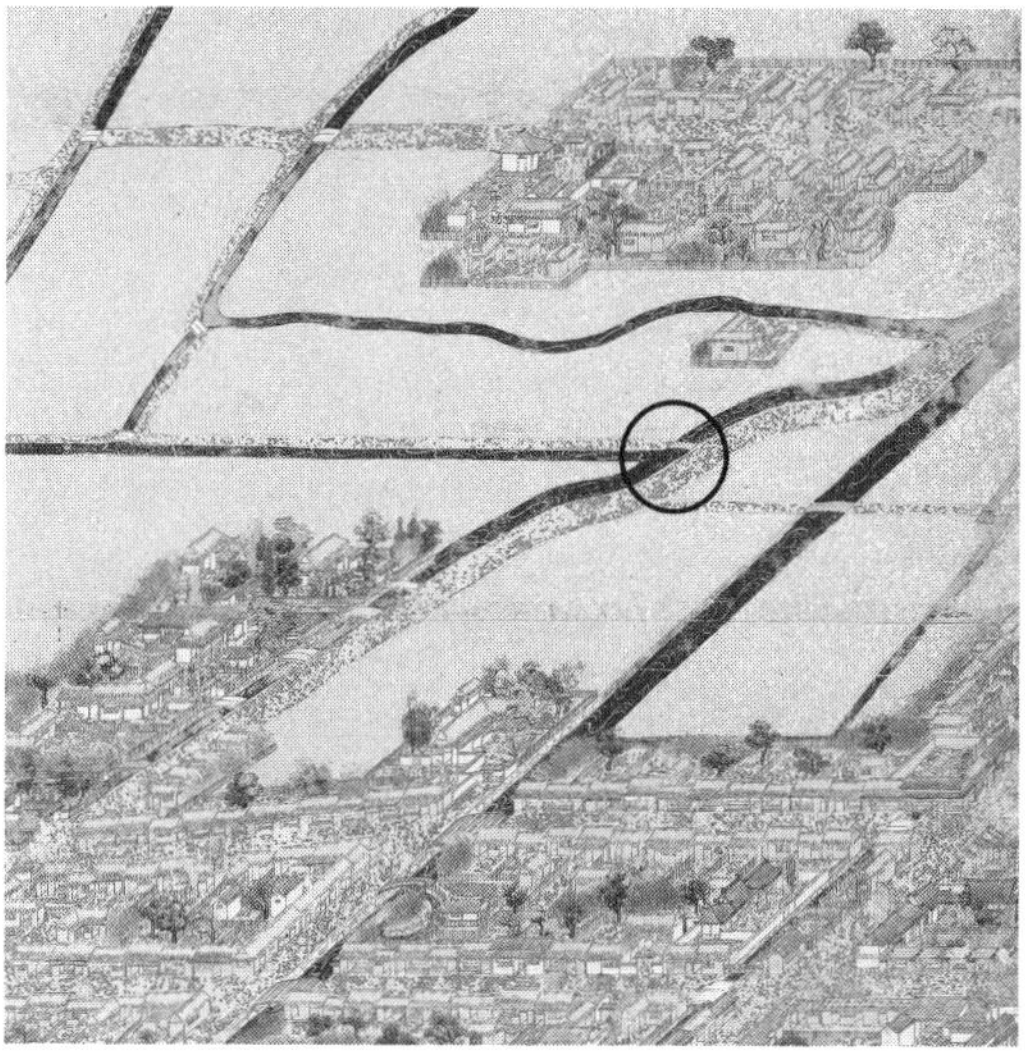

図8　宮前川と分岐した道水路（松山城下図屏風　丸囲み（筆者加筆）が現幼稚園）

写真1　コイノニア幼稚園（西から撮影）

図10　番所からの境道（松山城下図屏風　印は筆者加筆）

るのは（写真1）、かつての斜めの道を避けて建てたからで、屏風を見ると謎が氷解する。斜めの道は、今では典型的な裏道なのに、屏風ではかなり太く描かれている。三〇〇年前には城北の主要道路だったに違いない。

平和通り周辺――丁字路連発の境道

平和通りとその周辺の風景は、戦後の整備事業で様変わりしており、ここまでのような推定作業は難しい。

　しかし、手がかりはある。左隻第1扇の上の方の「番所」からはじめてみよう（図2・図10）。今、番所から右（つまり南）方向への道を仮に「境道」とすれば、境道の下（つまり西）からくる道のほとんどが、境道で突き当りとなる。つまり、境道のところで丁字路が連発しているのである。

　一方、現在の緑町と西一万町の境となる道路も、丁字路の連発である（図11）。この一致から見て、屏風の境道は、緑町と西一万町

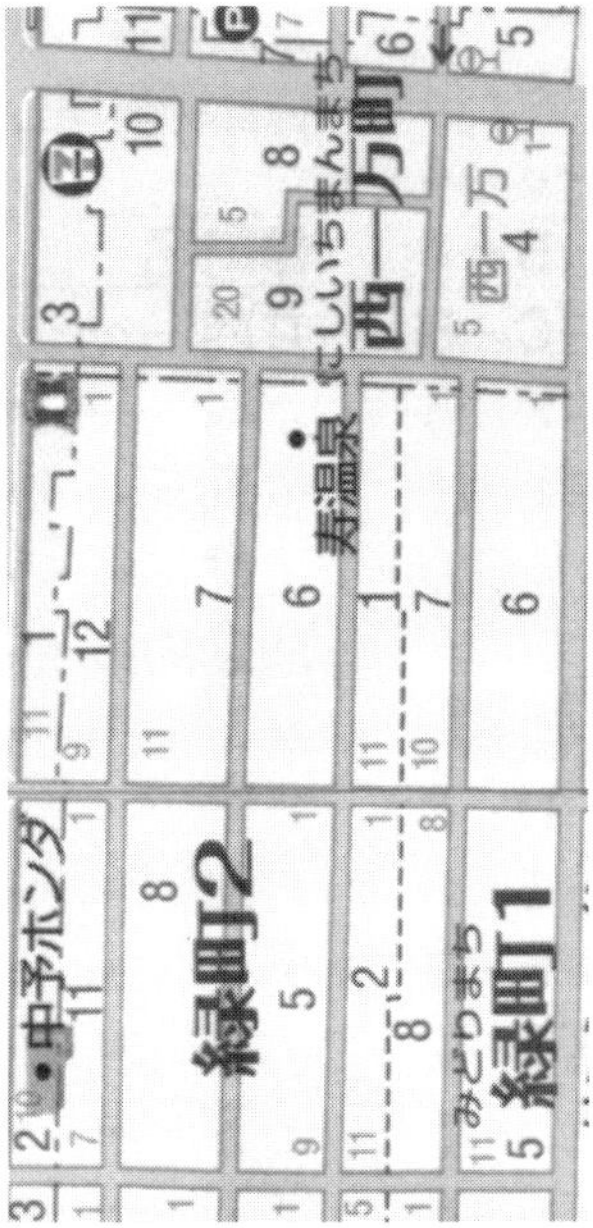

図11　西一万町と緑町の境（松山中心図　上が東、地図使用承認©昭文社第62G001号）

の境の道路に相当することになる。この不自然さは屏風の時代以来の伝統なのである。

これで、屏風をおおまかに把握できた。次は、お城の上へと進むべきだが、この大学人は、屈折や丁字やら理念のないものばかり追いかけて、天守閣にふさわしい高尚な話はできそうにはない。そういうわけで、坂の上の本丸については、読者みずからの探索によって、一点の曇りなき歴史観を構築していただくことを願っている。

2　宇和島城下絵図屏風

屏風の中の道の把握

『宇和島城下絵図屏風』は城を南西方向から描く（図12）。ここでも、屏風の各箇所の現在地を推定していこう。

屏風に見えるお堀は、今はない。しかし、税務署の西側の通りが「堀端通り」なので、その内側が屏風のお堀である（以下、図13参照）。また、堀端通りとの続き具合からみれば、市立宇和島病院の北側の道路が昔の堀端の通りで、その北側がお堀であろう。

その上で、道の曲がり方の特徴を考えてみよう。注目すべきは、「上り立ち門」の西側から南方向に出ている道路である。この道路は、御殿町《ごてんまち》の「御」を過ぎて南へ進むと、「桜町」でクランクになっている。今、これを「第1クランク」としよう。そのまま進むと、今度は「御徒町」で「第2クランク」がある。さらに進むには、いったん西に向うしかなく、曲がってすぐの丁字路を南に行けば、神田《じんでん》

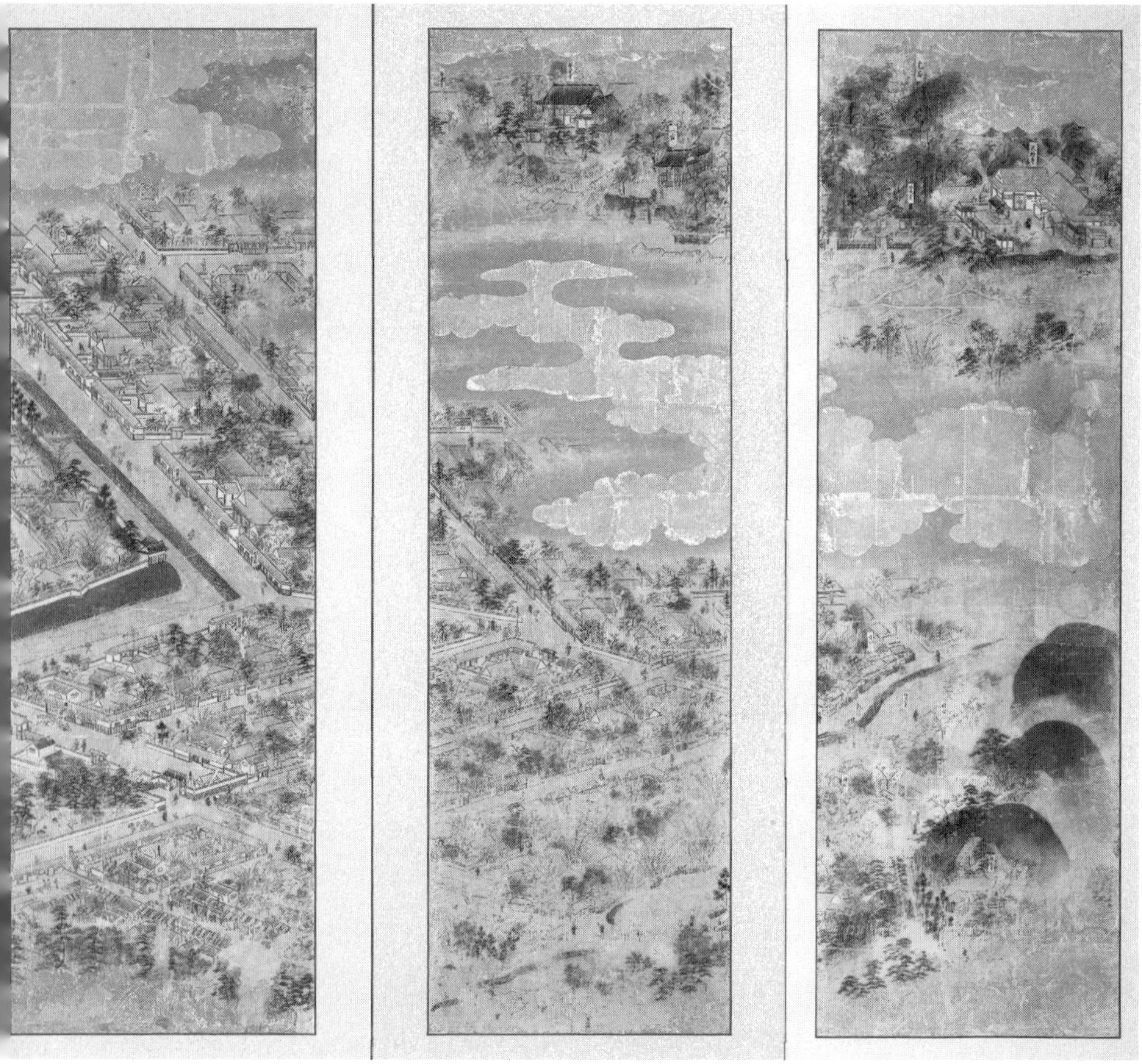

図12　宇和島城下絵図屏風（宇和島市立伊達博物館所蔵　右から第1扇〜第6扇）

川で、泰平橋がある。この「連続クランク⬇丁字路⬇神田川⬇橋」という組合せを、屏風の中に見出したい。

屏風の第4扇には、お堀に架かる橋が見え（図12）、そこから少し右（つまり東）の方に進んだ先は、絵が切れて見えないが、丁字路があって、第3扇の下の方にある南への道に続くはずである。今、その道を南下すれば、「番所」の塀で突き当たり、左（つまり西側）に門を抜けるが、またも突き当たりで、南へ進むしかない（図14）。これは、先の第1クランクに相当する。厳密には、屏風では桜町の通りに出る手前で曲がってしまうのが、今とは少し違うけれど、南への道は桜町を越えて直線にならない点が重要である。

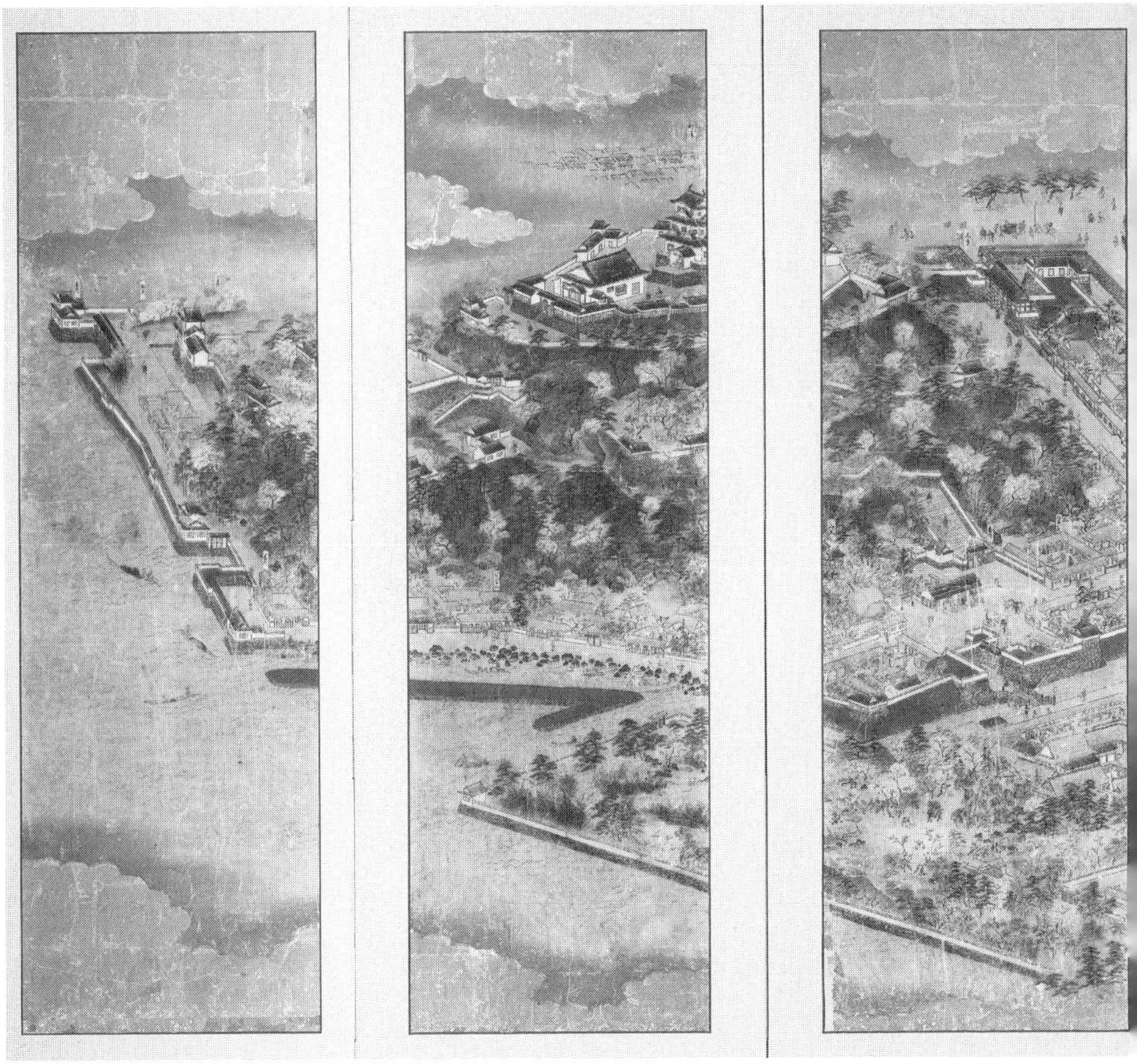

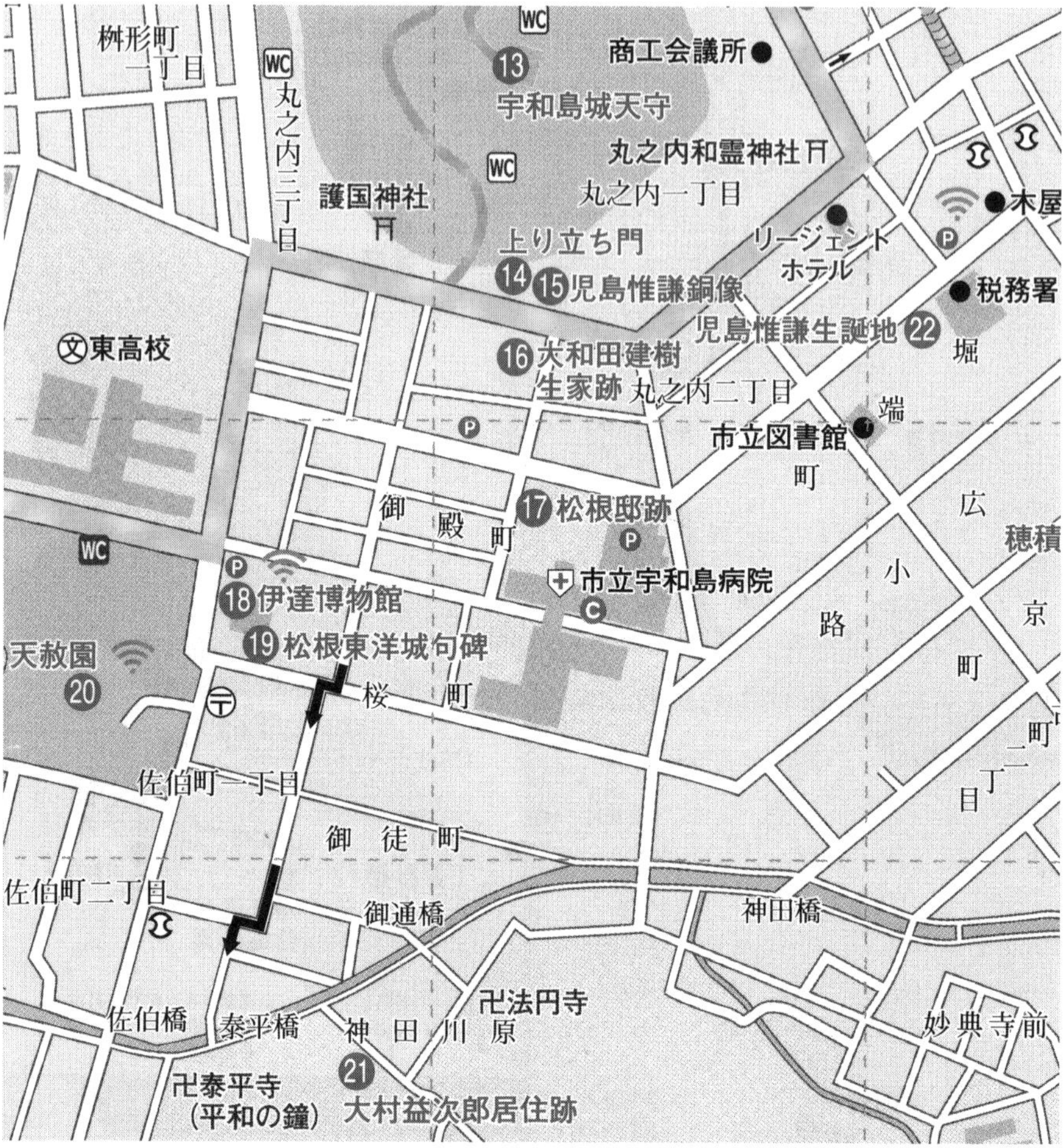

図13　宇和島市中心部ガイドマップ（部分　印は筆者加筆）

図15　神田川あたり（宇和島城下絵図屏風　印は筆者加筆）

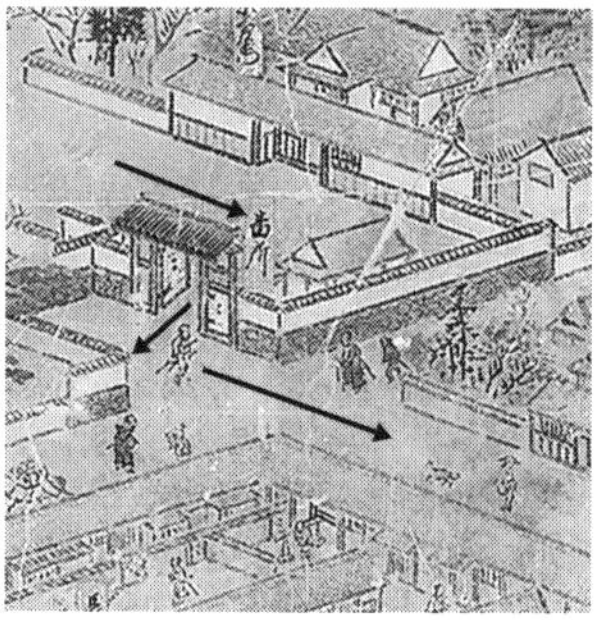

図14　番所と丁字路（宇和島城下絵図屏風　印は筆者加筆）

さらに、南へ、通りを一つ越えると、第2扇の下部には不鮮明ながら、第2クランクが見出せる（図15）。そして、左（つまり西）へ進めば丁字路が出てきて、そこから南に進めば川で、橋が架っている。屏風にも「連続クランク⬇丁字路⬇川⬇橋」という組合せはあり、今昔双方の経路は同一だと判明する。

城下の風景

『宇和島城下絵図屏風』では、人や動物も描かれており、色々と想像がふくらむ。

図16　腰掛と蹲踞（宇和島城下絵図屏風）

先ほどの連続クランクの途上には、「腰掛」と記された箇所があり（図16）、確かに人が腰掛けている。ただし、庶民が自由にくつろげた場所ではなかろう。「特別控所」といったところか。道の真ん中では、土俵入りの太刀持ちみたいに蹲踞《そんきょ》している侍がいる。蹲踞も長時間だとしびれが切れそうだ。その近くでは、土下座の侍。屏風には牧歌的世界を想像したくなるものだが、よく見れば、当時の勤め人も大変である。

また、堀端の通りには競うように駆

ける二匹の犬が見える（図17）。エサのうばい合いか、じゃれいあいか、はたまた求婚か。そもそも、この二匹は野良犬なのか、それとも飼い主はいて、ちゃんと飯にありつけていたのだろうか。

大学人が妄想しはじめると切りがないので、このへんでやめにしておく。

おわりに

ここでは、藩政時代の遺産である『松山城下図屏風』と『宇和島城下絵図屏風』を題材にして、近世城下町の探索方法の一例を示した。読者には、これにとらわれることなく、自らの手法で屏風絵をさまよっていただくことを願っている。

〔史料〕

宇和島市立伊達博物館所蔵『宇和島城下絵図屏風』

愛媛県歴史文化博物館所蔵『松山城下図屏風』

〔参考文献〕

井上淳「宇和島城下絵図屏風から見る宇和島城」愛媛県歴史文化博物館編『古地図で楽しむ伊予』風媒社、二〇一八年

内田九州男『伊予の近世史を考える』創風社、二〇〇二年

宇和島市観光情報センター『宇和島市中心部ガイドマップ』二〇一八年

愛媛県歴史文化博物館編『松山城下図屏風の世界』愛媛県歴史文化博物館指定管理者イヨテツケーターサービス、二〇一四年

図17　駆ける犬（宇和島城下絵図屏風）

角川日本地名大辞典編纂委員会編『角川日本地名大辞典』38（愛媛県）、角川書店、一九八一年
昭文社『松山中心図（詳細マップ）』二〇一八年
松山市『まつやま道しるべ』（ＪＲ松山駅前設置の地図）

column

妙見山古墳と笠置峠古墳
――時代を超えたランドマークに――

村上恭通

弥生から古墳へという時代の転換は約一八〇〇年前に起こった。その新たな時代の象徴の一つが前方後円墳であり、それ以降、北海道、沖縄を除く日本列島各地で築造された。前方後円墳は高い台形と円とが組み合わさった〝鍵穴〟形の墳丘をもつというだけではなく、その表面に石を葺き、竪穴式石槨とよばれる木棺をおさめるための石の部屋が設けられた。また新しい時代の象徴らしく高い墳丘をもつか、あるいは山や丘陵のうえに築かれ、地域を一望する立地を求めた。

四国の前方後円墳は、古墳時代前期（三～四世紀）、中期（五世紀）には香川、徳島に多く、愛媛に少ないという東高西低の現象を見せる〔大久保一九九六〕。さらに愛媛の数少ない前期の前方後円墳は、発掘後、宅地化によって滅失したり、あるいは放置されていたりして往時を偲ぶ姿をのこす例が少ない。そのようななか、調査後、発掘報告書が刊行され、整備も完了し、今でも訪れて景色を楽しみ、学びの場を与えている数少ない例が愛媛大学考古学研究室により発掘された今治市大西町の妙見山古墳と西予市宇和町の笠置峠古墳である。

妙見山古墳は標高約八〇メートル、平野部との比高差約七〇メートルの丘陵上に位置し、一九九〇年から九三年にかけて発掘調査が行われた（写真1）。全長は五五・二メートルであり、後円部長三七・四メートル、前方部長一七・八メートルと極端に前方部が短い点を特徴とする。そのため前方部、後円部ともに幅も広く、各地の前期前方後円墳のなかでは特異な平面形を呈している。棺をおさめた竪穴式石槨は後円部、前方部に各一基設けられ、埋葬が終わると墓上で小型土器を使用した飲食儀礼が執り行われ、〝伊予型特殊器台型埴輪〟と二重口縁壺が墳頂の平坦面を縁取るように立てられた〔下條編二〇〇八〕。

写真1　妙見山古墳

写真2　笠置峠古墳

に位置し、一九九七年に始まった調査は二〇〇四年に終了した（写真2）。全長は約四七メートルであり、後円部が楕円形を呈し、左右が非対称形であるところに特徴がある。後円部に設けられた竪穴式石槨は後世に破壊を受けて内部は攪乱されていたが、かろうじてのこった四壁は粘土を漆喰のように石と石との間に挟みながら積み上げられていた。ここでも石槨の周囲から壺や高坏が発見され、埋葬後、土器を用いた飲食儀礼が行われたことがわかった〔村上編二〇一七〕。

これら二つの古墳は大学と自治体が学術目的のみで調査したのではなく、地域の財産として古墳を知りたい、守りたいという社会的要請に応えたもので、地域住民、自治体と三位一体となって調査が推進されたことを特筆しておかなければならない。妙見山古墳は発掘調査後の一九九七年、遺跡の整備例としては日本初となるグッドデザイン賞を通商産業省（当時）より受け、二〇〇六年には文化庁より国史跡に指定された。古墳のリアリティーを伝える学びの場にすべく検討した結果、特殊な工法で整備が進められ、後円部の竪穴式石槨はガラス越しに観察できるように工夫されており、日本で唯一〝本物〟に触れる場を提供している。

一方、笠置峠古墳は発掘段階から麓の岩木地区住民を中心とした「笠置文化保存会」が支援し、調査後実施された古墳の整備においても主役となり、その締めくくりとなる墳丘の石葺きも「笠置文化保存会」を中心に進められた。その後の古墳の管理や周辺の環境整備もこの地元の会を中心に現在進行中である〔高木二〇一七〕。さらに下條信行氏（愛媛大学名誉教授）の指導のもと、当時、古墳上で

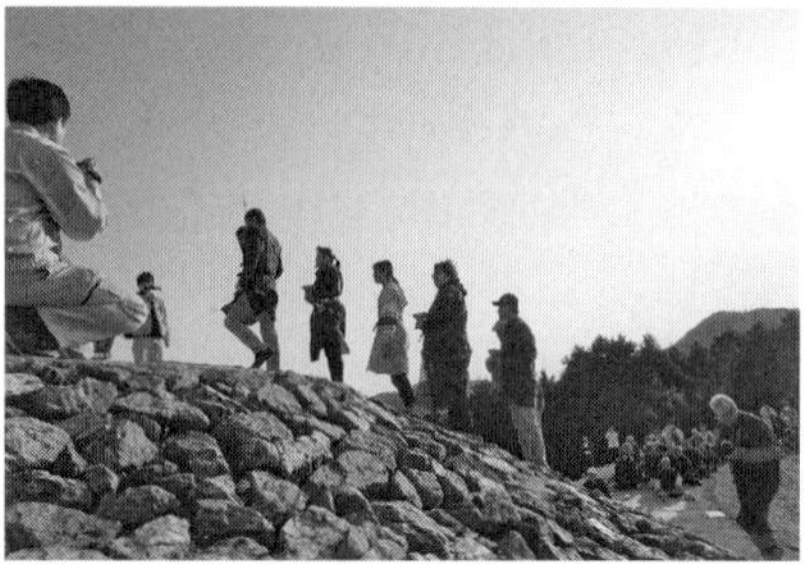

写真3　葬送儀礼の復元の様子1（笠置峠古墳）

写真4　葬送儀礼の復元の様子2（笠置峠古墳）

執り行われた葬送儀礼の復元にも取り組まれた（写真３・４）。多くの参加者に調査研究成果の理解を促しながら、往時の儀礼を体感させる比類ない遺跡の利活用である。

　東予の妙見山古墳、南予の笠置峠古墳は麓や遠方からも見上げられる特別な場所に築かれた。墓所として選ばれた理由は、それ以前からの人々の活動の場あるいは遠望の地点として人が集う場であったためであろう。そこに古墳がある、という記憶が地域でいったん失われたのちも、信仰の場、木花の採集の場などとして機能を維持してきた。古墳築造から一五〇〇年以上の時を超えて、また人が集い、楽しみ、学ぶ場として二つの古墳は復活した。いにしえのランドマークが未来にもその機能を引き継げるように考え、努力することが私たちの責務である。

〔参考文献〕

大久保徹也「四国における前方後円墳の不均等分布―古墳時代前期の様相―」『中四研だより』一五、中国四国前方後円墳研究会、一九九六年
下條信行編『愛媛県今治市大西町妙見山一号墳』今治市教育委員会・愛媛大学考古学研究室、二〇〇八年
高木邦宏「笠置峠古墳の整備と利活用」『笠置峠古墳』愛媛大学法文学部考古学研究室・愛媛県西予市教育委員会、二〇一七年
村上恭通編『笠置峠古墳』愛媛大学法文学部考古学研究室・愛媛県西予市教育委員会、二〇一七年

ロスト・ジャパン「四国遍路」

胡　光

はじめに――ニューヨーク・タイムズ二〇一五から

二〇一五年一月、ニューヨーク・タイムズ紙ホームページで、その年訪れるべき世界の五二ヶ所が発表され、日本で唯一「四国」が選ばれて、「四国遍路の場所」として紹介された。以来、外国人遍路の姿は確実に増えている。彼らは必ず、遍路の白装束を着て歩いて遍路をする。彼らが日本の中で四国を選ぶのは、「ロスト・ジャパン」すなわち、失われた日本の自然や文化を四国の中に求めることが多く、遍路をした後の感想では、四国の自然や人々（「お接待」）への称賛が加わる。私自身も彼らを案内した時には、同様の答えが返ってきた。

図1　ニューヨーク・タイムズで写真紹介された第45番札所岩屋寺（久万高原町／国指定名勝・大師堂は重要文化財）

ニューヨーク・タイムズ紙では、四国遍路に一二〇〇年の歴史があり、特に松山は札所が集中する重要な場所であるとともに、一二〇年前に建てられた楼閣のような日本最古の温泉があると特筆している。よくできたキャッチコピーで、世界の人々を四国へ誘ってくれているようだが、この文章には四国遍路や道後温泉の特徴が凝縮されている（図1）。

　この記事が出た前年に、四国遍路は開創一二〇〇年を迎え、四国四県で記念行事を行い、観光客数も大幅に増加した。同年は、重要文化財に指定されている道後温泉本館も建設一二〇年を迎えている。本館を建てた大工棟梁坂本又八郎は、幕末に松山城天守閣再建に関わった人物であり、当時としては天守閣に次ぐ豪壮な木造建築が出現したのである。

　本館が完成したのは、明治時代の一八九四年、日清戦争の年であり、まさに司馬遼太郎が描く『坂の上の雲』の時代である。翌年、松山中学に赴任した英語教師・夏目漱石は、後に『坊っちゃん』を著し「ほかの所は何を見ても東京の足元に及ばないが温泉だけは立派なものだ」と完成直後の道後温泉の雄姿を記している（図2）。

　現在、道後温泉でお遍路さんの姿をみかけることはないが、本館完成以前には全てのお遍路さんが訪れた場所であり、四国遍路と道後温泉を合わせて紹介したニューヨーク・タ

図2　重要文化財 道後温泉本館（松山市）

イムズの記事は故なしとしない。本章では、古き良き日本の姿を四国の中で探してみたい。

1　四国遍路の成立と発展

四国遍路は、徳島・高知・愛媛・香川の四県からなる、四国一円に広がる弘法大師空海ゆかりの八十八箇所霊場を巡る全長一四〇〇㎞に及ぶ壮大な周回型巡礼である。

四国遍路の原型は、一二〇〇年以上前に空海が行ったような、四国の自然と同化しよう

図3　西日本最高峰石鎚山を拝する第60番札所横峰寺奥之院星ヶ森（西条市／国指定史跡）

図4　「辺地修行」の世界を体験する愛媛大学生（今治市内）

とする山林修行であった。讃岐の豪族佐伯氏出身の空海自身が記した出家宣言書『三教指帰《さんごうしいき》』には、阿波大瀧嶽・土佐室戸崎・伊予石鎚山などでの厳しい修行の様子が詳しい。

奈良時代に、大自然の難所で苦行し身を清め功徳を得る「浄行《じょうぎょう》」が流行し、平安時代には、都から離れた山海の難所を回遊する「辺地修行《へちしゅぎょう》」へと展開して、多くの僧が四国へ渡ってきた。伊予石鎚山や阿波大瀧嶽などへの山岳信仰、浄土への入口としての土佐室戸岬など、都から南西に位置する四国は聖なる島としての信仰が篤かった。平安時代末（一二世紀）に著された『今昔物語』『梁塵秘抄《りょうじんひしょう》』には、僧が衣を濡らしながら修行する「四国の辺地」の語が見える。「辺地修行」ならびに「四国」を記す最古の例が同時に現れることは、聖地四国を象徴するものである（図3、図4）。

四国に生まれ、四国で悟りを開いた空海は、唐で密教を学び、大日如来や不動明王など新たな仏と、曼荼羅など難解な教義を可視化するシステムを伝え、仏教の世界観を日本に広めた。さらに、医学・土木・文学・教育など多方面での活躍が国民的な信仰を誕生させた。没後八六年に醍醐天皇から弘法大師の尊号を賜り、高野山奥之院で永遠の瞑想を続ける大師として尊崇を集めるようになると（入定《にゅうじょう》信仰）、鎌倉時代には大師の遺跡を巡る修行が始まり、「四国辺路」と呼ばれる巡礼としての形を整えてくる。

鎌倉時代、大師の遺跡で修行を行った一人に、道後宝厳寺出身で時宗を開く一遍がいる。一遍の生涯が描かれた「一遍上人絵伝」のなかに菅生岩屋《すごうのいわや》（現在の第四十五番札所岩屋寺）での修行の様子が出てくる。数多の修行者を集めたその岩窟のひとつから近年、一万六〇〇〇点を超えるこけら経と笹塔婆が発見された。室町時代から江戸時代初期のものと推定されるこの薄い木片には、法華経や南無阿弥陀仏の名号《みょうごう》が記されており、札所成立前夜

図5　愛媛大学で岩屋寺こけら経・笹塔婆の分析を行う

図6　第51番札所石手寺（松山市／塔は国指定重要文化財）

には、六十六部と呼ばれる法華経を奉納しながら全国を廻る聖《ひじり》や一遍につながるような念仏信者など多様な人々が聖地に集まっていたことが分かってきた（図5）。

弘法大師が「四国辺路」を開創したことを記す最古の史料は、道後石手寺《いしてじ》の由緒を記した室町時代・一五六七年の「刻板《こくばん》」である。これによれば、衛門三郎という富豪が私欲を肥やし仏神を信じないため、八人の男子が死に、自ら剃髪して四国辺路を行った。阿波焼山寺《しょうざんじ》で病死するとき、伊予国司になることを望み、空海（弘法大師）は八塚右衛門三郎と書いた石を握らせる。後に河野家でこの石を握った男子が誕生し、ゆかりの安養寺に奉納して、石手寺と改称したという（図6）。

この史料は、四国遍路開創を伝えるだけでなく、「死と再生」という四国遍路の重要なモチーフを示している。現在、遍路を行う理由を問うと、先祖供養・自分探し・チャレンジなど様々な回答があるが、共通点は、多様な悩みから解放され、再生して帰っていくことである。遍路を救済するのは、弘法大師であり、四国の地である。

　さらに、在地の神々の信仰に加え、熊野や白山《はくさん》、観音信仰も伝わってきたが、弘法大師信仰は、「大師一尊化」によって、あらゆる宗教宗派を包含し、統合する「四国遍路」という巡礼を完成させた。弘法大師信仰がさらに高まると、江戸時代までに多様な宗教宗派の八十八の札所が固定されるとともに、後に全ての札所に大師堂が建立され巡拝されるという特殊な巡礼形態を持つようになった。このことは、特定の修行僧が行う「修行」から一般庶民が巡る「巡礼」へ移行することも意味する。庶民への「四国遍路」定着を担ったのは、案内本を著し、遍路道を整備した真念に代表される庶民であった。一六八七年、初めての案内本である真念『四国辺路道指南《しこくへんろみちしるべ》』が出版される。重版を重ね、書名が「辺路」から「偏礼」「遍路」に替わっていくように、修行の辺路から巡礼の遍路への転換期となった（図7）。

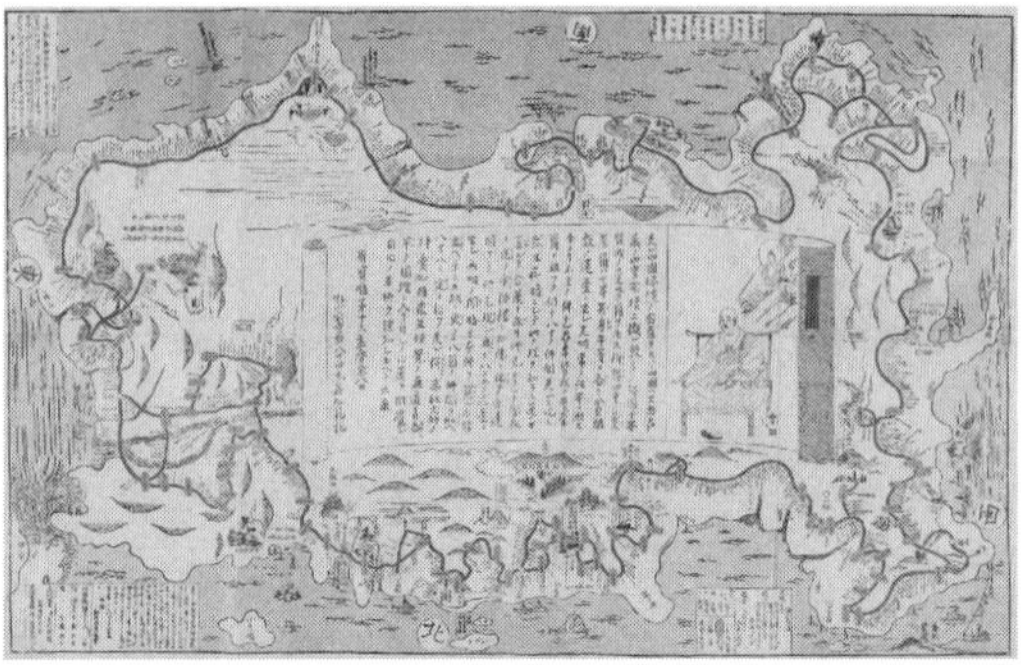

図7　江戸時代中期に初めて刊行された案内図も増刷される（愛媛大学蔵）

　江戸時代初期までに成立した八十八箇所には、各国一の宮をはじめとする神社も多く含まれていた。明治維新の神仏分離令によって、八十八箇所からも神社が排除され、付近の寺院に札所が移されて今日に至る。札所寺院は、近世において寺領を与えられるなど各藩主の保護を受けていたが、この特権が奪われ、存続の危機に陥る。日本の伝統文化より西洋文化を重んじる風潮と警察の取り締まりもあり、四国遍路は衰退した（図8）。

明治時代後半には、日清日露戦争期の国威高揚運動の中、寺社の文化遺産を守る国宝制度の成立があり、四国でも霊場会が創設されるなど、霊場の復興が進められた。この頃までに、全ての霊場で大師堂が整えられる。各霊場ごとの案内図なども盛んに刊行され、外国向けの観光パンフレットも刊行された。

太平洋戦争期に再び衰退した遍路も、戦後バスツアーなどの開始で転機を迎え、遍路の観光化が進んだ。白衣などの装束も、この頃広まったことが最近明らかとなってきた。バスツアーの嚆矢は、一九五三年の伊予鉄バスであり、数年後にはツアー客の正装として白装束が定着している。四国遍路を含め、四国の観光客入込数が最高を迎えるのは、瀬戸内三橋によって本州と結ばれる一九九〇年代である。観光客が減少に向かう二〇〇〇年代には、四国遍路を世界遺産にという運動も始まった。

世界遺産がない四国では、四県と関係市町、経済界、霊場会、大学、ボランティア団体など産官学オール四国体制で世界遺産推進協議会を組織して、世界遺産化を進めており、愛媛大学でも学術面から支援を行っている。二〇一六年には、四県知事が世界遺産に向けた提案書を文化庁に提出し、「暫定一覧表」掲載を目指している。世界遺産となるためには、①資産の保護措置（日本では文化財指定）、②普遍的価値の証明がなされることが条件となっており、双方ともその前提には、研究が必要であり、二〇一五年に開設された愛媛大学法文学部附属四国遍路・世界の巡礼研究センターは、二〇一九年に全学センター化され、学術面からの協力を進めている。

図8　第41番札所龍光寺の参道は、元の札所稲荷社へ続く（宇和島市／国指定史跡）

2 お遍路さんはどこから来たか——太山寺の落書調査から

四国遍路が盛んとなった江戸時代の遍路は、どこから来たか。難解な課題に挑戦したのは、社会学者の前田卓氏であった。紀伊・摂津などの畿内を中心に、讃岐・阿波・備中などその周辺国からの遍路が多く、高野山を中心とする弘法大師信仰との関係を説いた。一九七一年の研究以来この説が長く引用されてきたが、この統計の出典は、徳島県内にある四国霊場の過去帳であり、四国阿波の地で亡くなった遍路者の数に限定される。さらに、「遍路日記」の研究も畿内を通る東日本からのものが多かった。

近年、遍路道沿いで善根宿《ぜんこんやど》など接待を行ってきた旧家から俵札《たわらふだ》が相次いで発見され、その分析が進んできた。俵札とは、接待の返礼に受け取った納札を俵に詰めて天井に吊り下げ、厄災を除く御守りとしたもので、一〇〇〇点を超える納札が詰まったものもある。愛媛大学名誉教授内田九州男氏とパリ・ディドロ大学教授クワメ・ナタリー氏は愛媛県今治市越智家のもの、香川大学名誉教授稲田道彦氏は香川県さぬき市寒川家のもの、香川県文化振興課では同県善通寺市細川家のものの分析を終えている。

俵に詰まった江戸～明治時代を中心とするこれらの納札から判明した遍路の生国は、越智家の場合、阿波・伊予・備中が多く、讃岐・紀伊・備前・摂津・備後・安芸が続き、他の畿内諸国と同程度に豊後・筑前などの九州諸国も含まれている。寒川家の場合、讃岐・伊予・紀伊・阿波・備後・豊後・淡路・摂津と続く。細川家の場合は、愛媛・香川・徳島が突出し、兵庫・広島・岡山県が続いている。このように、各分析結果は、前田氏の提示とは大きく異なるものであり、対岸からの遍路が多いこと、自国を中心に四国内からの遍路が多いことという地域的な特徴が見えてきた（図9）。

本章では、松山市にある四国霊場第五十二番札所太《たい》山《さん》寺《じ》の落書《らくしょ》を採り上げたい。今日、落書は文化財に害をなす迷惑行為であるが、前近代における落書は、困難な旅における形見であり、神仏の加護を受けようとする行為であった。このため、自らの生国と名前を記す。新城常三氏は、名と出身地を仏に告げ、仏の加護と結縁を期待する信仰に基づき、納札が行われたとする。つまり、納札と落書は同じ思考によるもので、遍路の実態が記された貴重な史料と言える（図10）。

図10　国宝 太山寺本堂（松山市）

太山寺は、松山平野北部の山間に位置し、堀江湾を臨み、奥之院からは瀬戸内海を一望できる。鎌倉時代末に建立された本堂は国宝、仁王門と本尊十一面観音立像は重要文化財である。当寺の創建は、豊後国（大分県）の真《ま》野《の》長者《ちょうじゃ》が海難を逃れた礼に一夜建立したと伝えられる。四国霊場の開基は、行基菩薩か弘法大師とされることが多いなか、唯一の事例である。その背景には、九州での弘法大師と四国遍路信仰の拡大があった。西方からの四国遍路の玄関口として、太山寺と高浜・三津浜が知られていたのである。真野長者伝説が伝わった頃、松山藩では三

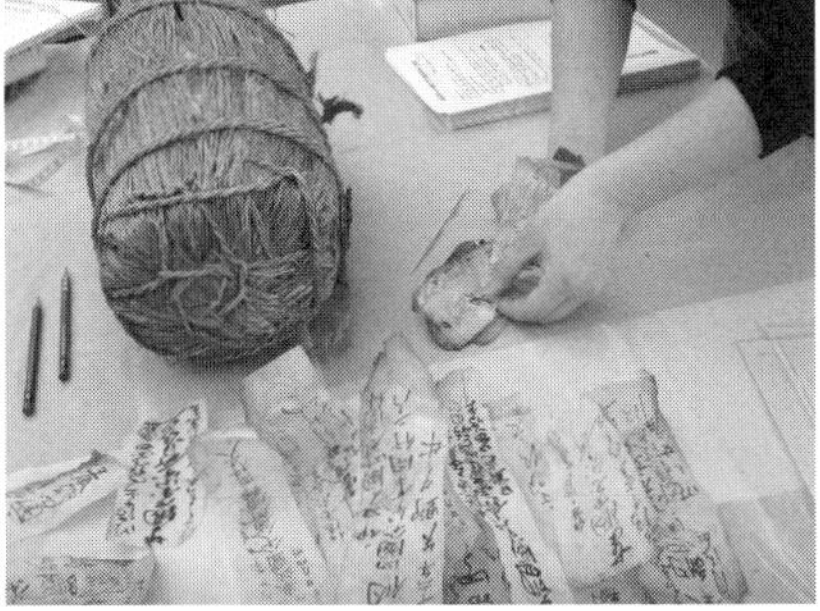

図9　愛媛大学と愛媛県歴史文化博物館は、八幡浜市の俵札を共同研究している

図11　太山寺観音堂の落書

図12　太山寺鐘楼の落書調査

津浜に制限していた上陸を太山寺近くの高浜も許可する。西方からの四国遍路増加状況が分かる。上陸した遍路が目指したのは太山寺であった。

　太山寺境内には他寺とは比べ物にならない圧倒されるほどの遍路の落書が残されている。国宝本堂に上る最後の長い階段の登り口に手水鉢《ちょうずばち》があり、その奥に石像の子安観音が祀られた観音堂がある。現在の観音堂の右脇に江戸時代の旧観音堂が残されており、柱や羽目板《はめいた》に多数の落書が確認できる。観音堂前の手水鉢で身を清め、目前の石段を上り詰め、楼門をくぐると本堂に至る。本堂の右手前に鐘楼がある。南北朝時代に豊後で制作された梵鐘は県指定有形文化財である。鐘楼の基壇には、江戸時代・一八三二年に太山寺村百姓が中心となって三津浜石工の協力で建立したと刻まれている。奥板には地獄絵図が展開し、建立以来人々が身近に楼内に入ったことが推測される。この鐘楼の内壁には、驚くほどの落書が書き重ねられている。太山寺の旧観音堂と鐘楼で、合わせて三七二件の遍路が残した落書を確認した（図11、図12）。

　遍路の出身地名が記されたもの二二一六件を現在の都道

府県名に当てはめてみると、愛媛六二件、山口二七件、広島二一件、大分二〇件、岡山一三件、香川・大阪一二件、福岡一〇件、兵庫六件、徳島九件、高知・宮崎・熊本五件、島根四件、長崎・佐賀三件、和歌山二件、秋田・埼玉・神奈川・石川・三重・京都各一件、肥州（熊本・長崎・佐賀）一件となった。地元と対岸が多い傾向は顕著であるが、近畿の大阪・兵庫の数も相当に見られる。また、下関・柳井・倉橋島・下津井など湊町の地名が目立ち、「海上安全」の文字も見えることから、海上信仰の存在を意識する。

年次が判明するものは、一八三二〜一九六八年までの一〇九件である。太山寺では、一八四一年に本尊を修復・開帳しており、訪れた遍路数はこの前後に多い。「同行拾六人」という表記も有り、幕末には多数の遍路が同寺を訪れた。その後、明治時代には、激減する。

吉川俊宏長老のお話では、修理前の本堂など他の堂宇の外壁にも多数の落書があったという。他寺においてこれだけ大量の落書に接したことはない。遍路の出身地を見ると、地元と対岸が多く、西方からの遍路の上陸地としての太山寺や伊予の霊場の特色をよく表している。これは、前田卓氏の分析が四国全体に普遍化できるものではなく、各県ごとの研究を蓄積し、各県の特色を見ながら四国遍路全体を考えていく必要性を示している。

3　遍路日記に見る「接待」と道後温泉

筆者は、福岡県立図書館に保管された「佐治家文書」（佐治洋一氏蔵）について調べていたところ、「四国日記」なる史料に出会った。閲覧すると、果たしてこれまで研究のない江戸時代における九州からの「遍路日記」であった。佐治家は黒田長政に仕えた後、筑前国宗像郡津屋崎村（福岡県福津市）に土着し、宗像郡内最大の酒屋として栄えた。

「日記」の行程は、津屋崎を出発して伊予国三津浜に上陸、三津浜から北上し四国を一周、道後に至るまで五五日、三津浜から津屋崎に戻る。一八四五年二月二二日に出発し五月二三日まで合計九〇日間に及ぶ。

三津浜上陸後、四国遍路時の記述の特徴は、「摂待」（接待）が現われることである。接待の内容、主まで詳細に記され、日々の最後には、納めた札数（参った札所数）と接待数が集計されている。まさに接待は、四国遍路の特徴であることを当時の人も認識していたのである。豪商一行にとっては、接待を受けずとも旅は可能であったが、接待を受けることも遍路には重要であって、町場で行っている「しゆ行」（修行／門付）とともに巡礼の旅の特徴を示している。

接待の内容は様々で、食料が最も多いが、月代髪結《さかやきかみゆ》い、草鞋《わらじ》など、遍路に必要なものが全て含まれている。内容を集計してみると、最も多いのは、香物（漬物）二一件と赤飯一八件である。続いて、月代七件、銭五件、唐豆類五件、煮しめ四件、餅二件、草鞋二件があり、白飯・焼米・ひきわり飯・弁当・はったい粉・唐黍・薬・茶・豆腐・吸物が各一件記される。身の丈に合った、できる範囲での接待を行っていることが分かる。

このことは接待主の記載にも表れており、商人個人の場合もあるが、圧倒的に村民・町民が合同で行っていることが多い。さらに、接待主が記録されているということは、接待の際に必ず名乗っているということであり、接待する側も遍路と同様に神仏の加護を期待していることになる。接待主は、自宅や自村で接待することもあるが、多くは他村から札所まで来て接待している事例が多い。しかも他国や島嶼部など遠隔地からも来ている。

佐治家一行が再び松山に戻ってから、結願《けちがん》の様子を五月一二日条より見ておこう。最終日は、三坂峠を下って、四六番札所浄瑠璃寺から始まり、最後の札所五一番石手寺にて「此所《このところ》打《うち》仕廻《しまい》につき一切ぬき納メ又受」ことになる。そして、道後の湯につかり、「其夕御札仕廻の心祝いとて酒なと買祝ひ申也」とくつろぎ、泊まる。衛門三郎伝説も記され、六ヶ寺も巡ったこの日は結願の日にふさわしい。翌日は、道後で土産を買い、城下を見物し、三津浜でまた土産を買い、なじみの下松屋で精進を落とし、夜に周防大島に向けて出港した。三津浜・太山寺から始まって、道後・石手寺で終る西方からの遍路は、巡礼としてもツーリズムとしてもよくできたコースと言える。

佐治家の「四国日記」の特色の一つに、女性同伴の旅のためか、毎日の風呂の様子が記される。しかし、四国内の温泉でくつろいだのは道後温泉のみである。

ここで、讃岐国吉津村（香川県三豊市）庄屋新延《にいのべ》家の「四国順禮道中記録」（香川県立ミュージアム蔵）を用いて、さらに遍路と道後温泉の関係を探ってみよう。本書の特徴としては、日記中に各所の状況や接待の様子が記されるほか、後半部に、土産の内容と宛先、見送り人名、金銭出納が記されていることがあげられる。遍路に係る必要経費といかに多くの土産を用意したかが判明し、信仰の旅から観光的な旅へと変化する実態がうかがえる。

三月二四日条によれば、道後横町船屋に滞留し、湯八幡宮や諸所見物し、土産を買い、温泉に入った。当時の道後温泉は、壱之湯：松山侯を始めとする武家の湯、弐之湯：婦人湯、三之湯：男湯、養生湯：男女混浴、馬之湯：牛馬湯の別があり、気さくな松山藩士によって、壱之湯を案内され、感嘆した様子が記されている。湯の区別があっても、全ての身分の人が温泉を利用しており、遍路も立寄っていたことが分かる。この時、遍路が見た湯釜は、弘法大師を崇敬する一遍が揮毫した旧湯釜だったはずである（図13）。

さらに、本書の土産記事では、最も多いのが「大師御影《みえ》」「線香」、次が「道後艾《もぐさ》」なのである（図14）。何れも運搬しやすいこともあるが、心身を癒す遍路における大師信仰と道後温泉の重要性を物語っていよう。石手寺本尊が薬師如来であることも注目される。

江戸時代、道後温泉の管理は、松山藩から石手寺配下の明王院が任されていた。往古の石手寺は、石手川から道後温泉付近までを寺地としており、室町時代の守護河野家の居城湯築城と隣接していた。湯築城は道後八幡（伊佐爾波神社）跡地にあり、石手寺以外も多数の寺社が丘陵上に点在し、裏山には末法思想の経塚群があるなど、古来道後一帯が聖地で

図13　道後公園に移設された道後温泉の旧薬師如来湯釜（県指定文化財）

図14　道後温泉街に唯一残る艾販売店。かつては全ての土産店で艾を扱っていたという。

あった。
遍路が道後温泉に立寄っていたことを示す史料が温泉にも伝わっている。一八五四年に起きた安政南海地震によって止まった温泉が翌年復興した際に出した「定書《さだめがき》」（入浴心得）である。第一・二条が「四国辺路」に関する規定であり、遍路が優遇されている様がうかがえる。即ち、遍路は宿泊を認めるが、湯治だけの客は宿泊をしてはいけないこと、遍路をはじめ、正体不明の者や病気怪我人は養生湯に入ることが定められている。温泉と灸で遍路の疲れを癒し、その艾を土産に遍路を続けた。

道後温泉の文書を調査してみると、温泉と大地震との関係が注目される。南海地震のたびに湯が止まっているのである。一八七五年、気象台による地震観測開始以前の災害は古文書を読み解くしかない。道後温泉に伝わる史料とその分析は災害対策にも有用であろう。

一二〇年を経た道後温泉本館は、重要文化財を活用している稀有な例である。活用と保護を両立するため、耐震工事が始まった。夏目漱石『坊っちゃん』には「湯壺は花崗石を畳み上げて、十五畳敷ぐらいの広さに仕切ってある。…深さは乳の辺まであるから、運動のために、湯の中を泳ぐのはなかなか愉快だ。…今日も泳げるかなとざくろ口を覗いてみると、大きな札へ黒々と湯の中で泳ぐべからずとかいて貼りつけてある。」と一二〇年前の温泉内部が描かれる。現在は「坊っちゃん泳ぐべからず」の木札がかかる漱石ゆかりの温泉を、多くの遍路を癒してきた歴史とともに守っていかねばならない。

4　四国の文化──四国の求心力

道後石手寺に伝わる四国遍路の発生譚には、大師のもとでの「死と再生の物語」が説かれる。巡礼者は大師の修行の道を辿ることで、大師に「救い」を求め、四国の人々は、彼らに「お接待」することで大師に救われると信じた。「お接待」によって、庶民の巡礼が可能となり、何度も「周回」することが可能となる。記録や伝承には、不治の病や怪我が遍路の途中で治った話が伝わり、奉納物には大師への感謝が綴られる。富めぬ者や健康でない者も包み込む四国は、救済の場所であった。

阿波・土佐・伊予・讃岐の四ヶ国は、仏教における「発心」「修行」「菩提」「涅槃」の道場に例えられるように、空海が伝えた曼荼羅の世界と各国の特徴も表している。後に一人であっても弘法大師とともにある「同行二人《どうぎょうににん》」の精神も誕生し、幾多の困難を乗り越え、結願後には大いなる達成感を得る。その背景には、四国の自然や文化が深く関わっていて、古き良き日本の伝統的景観が生き続けている。

四国遍路は、巡礼の形態が最も発展し庶民化した我が国の典型的巡礼であり、巡礼の完成形と位置付けられる。この独創性ゆえに、巡礼の中で唯一「遍路」と呼ばれ「お四国」と尊称される。聖なる島、四国の自然が生み出した弘法大師信仰に基づく四国遍路は、多様な宗教・思想を受容し発展させるという日本固有の文化を体現し、往古の修行や巡礼形態を今に伝え、人々を救済し癒し続けている巡礼であり、それを支えているのが「お接待」

に代表される生きた四国の文化である。ここに、人々を四国へ誘う求心力がある。

〔参考文献〕
前田卓『巡礼の社会学』ミネルヴァ書房、一九七一年
新城常三『新稿社寺参詣の社会経済史的研究』塙書房、一九八二年
内田九州男、クワメ・ナタリー「江戸時代の一三〇八枚の資料について――伊予国阿方村越智家の遍路札――」（『愛媛大学法文学部論集 人文学科編』二、一九九七年）
頼富本宏『四国遍路とはなにか』角川選書、二〇〇九年
稲田道彦『寒川家旧蔵の俵に詰められた札に関する研究』さぬき市教育委員会、二〇〇四年
香川県政策部文化振興課『善通寺市細川家の俵札』香川県、二〇一三年
内田九州男「四国遍路――そのスタイルの諸特徴について――」（愛媛大学「四国遍路と世界の巡礼」研究会編『巡礼の歴史と現在』岩田書院、二〇一三年）
胡光「『遍路日記』に見る四国、その内と外と」（愛媛大学「四国遍路と世界の巡礼」研究会編『二〇一三年度四国遍路と世界の巡礼公開講演会・公開シンポジウムプロシーディングズ』愛媛大学「四国遍路と世界の巡礼」研究会、二〇一四年）
塚本明・近藤浩二・胡光「巡礼と『道中日記』の諸相」（同右）
寺内浩「愛媛県久万高原町岩屋寺こけら経・笹塔婆について」（『愛媛大学法文学部論集 人文学科編』四〇、二〇一六年）
胡光編『四国霊場第五十二番札所太山寺総合調査報告書（一）（二）』愛媛大学法文学部日本史研究室、二〇一五・二〇一六年
モートン常慈「世界の視点から見た四国遍路の魅力：西洋人遍路を例として」（『四国遍路と世界の巡礼』一、愛媛大学法文学部附属四国遍路・世界の巡礼研究センター、二〇一六年）
竹川郁雄「調査データで見る現代の四国遍路――繁多寺での質問紙調査より――」（『四国遍路と世界の巡礼』二、愛媛大学法文学部附属四国遍路・世界の巡礼研究センター、二〇一七年）
胡光編『四国霊場第五十一番札所石手寺総合調査報告書』愛媛大学法文学部附属四国遍路・世界の巡礼研究センター、二〇一七年
愛媛大学四国遍路・世界の巡礼研究センター編『四国遍路の世界』ちくま新書、二〇二〇年

column

愛媛のまつり文化

渡邉敬逸

かつて民俗学者・柳田國男は都市のまつりでは「見られる者」と「見る者」との分離が生じ、この分離を「祭礼」の出現と指摘した（柳田 一九九八）。祭礼では「見られる者＝まつりをする者」が「見る者＝観客」に見られることを意識し、「見せる要素」が華美に大仰に強調されていくこととなる。こうした祭礼の特色を「風流《ふりゅう》」と言い、愛媛県歴史文化博物館（二〇一六）では、愛媛のまつりの特徴として「風流＝見せる要素」の様相に著しい地域的差異があることが指摘されている。すなわち、東予地方では屋台や継ぎ獅子、中予地方では神輿・獅子舞、南予地方では牛鬼・鹿踊・四ツ太鼓・唐獅子などの練物《ねりもの》などが「見せる要素」の中心となっており、愛媛県全体で「見せる要素」に高い多様性が見られる。

こうしたまつりのような文化の地域的差異を説明する上で重要な概念となるのが文化伝播である。まず、ある文化にはその起源となる地域があり、それが様々なかたちで地域外に伝播していく。そして、ある文化が伝播した先では、それがそのまま受容されるわけではなく、当該地域の人々の生活に合わせて改変されながら定着する。さらに、起源地のものとは微妙に改変された文化が再び別の地域に伝播していき、また別の地域で再度改変されながら定着する。この繰り返しの中で文化の地域的差異が形成されていく。愛媛県における「見せる要素」の地域的差異は文化伝播による歴史的所産である。

一方、文化伝播の考え方から言えば、当然同じ地方内でも微妙な差異が発生することとなる。例えば東予地方では屋台が「見せる要素」の中心であることは触れたが、西部の高縄半島や島嶼部では木枠による簡素な構造の屋台が大勢を占めるが、道前平野以東では彫刻や金刺繍幕による華美を凝らした複雑な構造の屋台が大勢をなし、屋台の「見せる要素」の程度に地域的差異がある（愛媛県歴史文化博物館 二〇一六）。更に後者は唐破風《からはふ》屋根に彫刻を凝らした多層の高欄からなる西条型だんじり（写真1）と布団屋根を頂き立体的な金刺繍を施した吊幕や布団を四方にめぐらした新居浜型および宇摩型《うまがた》太鼓台（写真2）とに分かれ、華美であるところは共通するものの、その「見せる要素」の質に大きな相違がある。

　これは同じ地方内でも、各地域のミクロな風土や気風の違いが存在し、これに伴い文化伝播の起源地や定着の

写真1　西条型だんじり（写真提供：西条市）

写真2　新居浜型太鼓台（筆者撮影）

あり方も異なることを示唆するものである。まつりの「見せる要素」に心を躍らせる一方で、それぞれのまつりの相違を形作った地域的背景に思いを巡らせることも「大学的」なまつりの見方であろう。

さて、「まつり」とは、狭い意味で言えば、神霊を招き迎えて歓待し、祈りを捧げる風俗慣習をさす。本コラムで触れた「見せる要素」は神霊への祈りを中心とする伝統的な「祭り」に見られるものである。一方、広い意味で「まつり」と言った場合、必ずしも神霊への祈りを伴わない「イベント」などの行事も射程に入る。これらのイベントでは市民による創作踊り、パレード、花火などが「見せる要素」として機能している。愛媛県で言えば、松山まつり（松山市）・おんまく（今治市）・うわじま牛鬼まつり（宇和島市、写真3）などの市民・行政・商工会議所等が協働して実施する市民まつりなどがこれに相当する。

写真3　うわじま牛鬼まつり

祭りとイベントとの大きな違いは共同性とシンボル性の質にある。祭りの共同性は氏子組織に見られるような地縁・血縁などの強い土着性に規定され、そのシンボルは神霊である。一方、イベントの共同性は土着性が薄く、参加したい人がその場でつながる選択縁によるものであり、創作踊りなどの「見せる要素」自体がシンボルとなっている。さらに言えば、祭りの目的は神霊の歓待であるのに対し、イベントの目的は概ね広い意味での地域活性化と言ってもいいだろう。

本コラムで「まつり」と表記してきたのは、こうした「イベント」も「祭り」や「祭礼」と同等に扱うことを意図している。というのも、上記したように祭りとイベントはその要素の質や目的こそ異なるものの、構造としては同様のものであると理解されることによる。また、現代社会では祭りであっても、その「見せる要素」のみがピックアップされ、神霊とは無関係な場所、すなわちイベントに登場することが少なくないためでもある。

例えば、松山市では二〇一〇年から「松山神輿《みこし》×愛媛のまつり一挙集結」と銘打って「大神輿総練」が開催されており、松山市の神輿を中心として、新居浜市の太鼓台、宇和島市の牛鬼、今治市の継ぎ獅子など、県内各地域の祭りを代表する「見せる要素」が多数集結し、観覧者の目を楽しませている。本イベントは「祭りを観光資源として県内外に広くPRして地域活性化を図」ることを目的としている（愛媛新聞　二〇一六年九月一九日朝刊）。

つまり、現代の祭りにおける「見せる要素」は神霊から離れたところで、地域活性化の手段として観光資源として位置づけられ、活用される存在でもある。この点で言えば、イベントの「見せる要素」との間に大きな違いは見いだせない。さらに言えば、これらの「見せる要素」の本番である祭り自体がそれぞれの地域の観光資源としてメディア上で宣伝されているように、祭りとイベントはその性質こそは異なるものの、目的においては極めて近い存在として理解されるべきであろう。こうした現代社会における「まつり」の位置付けを考えながら、様々なまつりを観覧することも「大学的」なまつりの見方であろう。

〔参考文献〕
愛媛県歴史文化博物館『愛媛の祭りと芸能』伊予鉄総合企画株式会社、二〇一六年
柳田國男著、伊藤幹治・後藤総一郎編集『柳田國男全集　十三』筑摩書房、一九九八年

写真4　乙亥大相撲

乙亥大相撲は西予市野村地区で行われる相撲大会であるが、同地にある愛宕神社への火防祈願のための奉納相撲であると同時に、その相撲自体が「見せる要素」として機能している。

文学とゆかりの地

青木亮人

愛媛県は東予・中予・南予全域に渡り、ゆかりの文学や文化が多い。本章では各地域の中でもある土地や場所に限定し、各地方の特色を詳細に描写することで愛媛という土地の雰囲気を追体験してみよう。

1　中予地方・松山城

春の空に松山城はよく映える。梅雨頃は山腹や城郭に靄がかかり、秋には紅葉の色なす山頂に城が聳《そび》え、築城から数百年を経た今も松山の象徴であり続けている。明治維新後は廃城の危機に瀕したが、伊佐庭《いさにわ》如矢らの奔走で保存されることになった。

廃城を免れて一〇数年、雨雲の垂れこめる城の風情を詠んだのは一〇代の正岡子規である。「連日溟濛雨未休／模糊城閣霧中浮」（連日溟濛　雨未だ休まず／模糊として城閣　霧中に浮かぶ）…自由民権運動に感化された子規は上京を願うもすぐには聞き入れられず、念願が叶ったのが明治一六年だった。先の漢詩は同年作で、雨に烟る城のモノトーンじみた情景は、上京への鬱屈した想いが反映していたのだろうか。

その子規に憧れ、文学者を目指した高浜虚子は紆余曲折の末に俳人となり、「ホトトギス」主宰として俳壇に君臨した。松山に生まれ、幼少期を北条で過ごした彼は鎌倉を終《つい》の住処《すみか》としたが、墓参等で松山に幾度も帰省している。船路で帰省の際、虚子は次のように

写真1　松山城と市電

感慨に耽るのが常だった。

船が風早の沖にかゝつて鹿島が見えて来る頃から、（略）甲板の手摺に寄つて、「（略）あの海岸の松原のちよつと途切れてゐるあたりが僕が一歳から八歳まで育つた所の別府の西ノ下といふ所だ。」など、連れ立つてゐる家人や友人に説明するのが常である。ふと見ると松山の城山が模糊の間に見えて、松山城はくつきりとその城山の上に聳え立つてゐるのが見える。

（虚子「故郷」、「ホトトギス」）

虚子は瀬戸内の波に揺られつつ北条近辺にさしかかると、船の甲板から懐かしい鹿島や海辺に目を細め、周りの人々に説明する。はるか遠くに霞む城山と天守閣も見え始め、帰郷の実感を強くするのだった。

虚子が船から城山を眺めた頃から一〇年後、日本は太平洋戦争に敗れ去る。一九四五年以降、各都市は空襲に晒され、特に東京や大阪等は執拗に爆撃された。当時の大阪造兵廠には城北高等女学校（現・松山北高校）の学徒が勤務していたが、激しい空襲に意を決した引率教員が引き揚げを談判し、承諾を取りつける。六月の夜中、いまだ燃えている大阪を列車で後にし、岡山から連絡船で高松に着き、予讃線で松山に向かった。車内では立ちっぱなしで、女学生達は薄汚れた服に空腹を抱えていたが、車窓から見えた故郷の景色に声をあげる。

和気駅を過ぎると松山城が見えてきた。皆、歓声を挙げた。今までこらえてきた涙がこぼれた。「松山へ帰って来た」。もう二度と会えない、と思っていた父や母に会える。

（『学徒動員　十五歳のモニュメント』、二〇〇四）

しかし、その松山も七月に火の海になった。深夜に突如焼夷弾が降り注ぎ、一夜明けると市街は焼け野原で、あちこちから煙がくすぶっていたという。空襲の余燼《よじん》覚めやらぬ朝、城山を見上げた時のことを谷野予志《たにのよし》は次のように回想している。

封建時代の遺物だが、見馴れたというものは妙なもので、空爆の最中も火の海の中に一際高くこの城の火焔を見た時はなぜか心底から悲しかつたし、翌朝完全に灰になつてしまつた市の上にはほとんど無事に焼け残つた城の白壁が朝焼に輝いているのを仰いだ時は、これだけが唯一の心の支えだと思つたものだ。

（谷野「松山」、「天狼」）

新興俳句にのめり込み、大学で教鞭を執った谷野はいわば進歩的知識人で、城を「封建時代の遺物」と捉える側面もあった。その彼ですら、焼け残った城郭が「朝焼に輝いている」威容に胸を打たれたのだった。

明治から昭和に至るまで多くの松山人が城を見上げ、それぞれの感情を抱いてきた。屈託や懐旧、安堵、冷ややかな視線、郷土の誇り……城山を眺めた人間たちが一人、また一人と逝去する中、城郭は今も山頂に聳え、四季折々の表情を見せている。

ある春の夕暮れ、城の高い石崖はなだらかに裾を曳き、地面近くの苔むす石はすでに暗がりを帯びている。紫がかった夕闇の気配が急速に石垣を覆う中、空近くの城壁にはいまだ淡い暮光が漂い、その薄れゆく西日に照らされながら城の桜は音もなく散りゆく…現れては消えゆく人間や四季のうつろいと、松山城の佇まい。

夕桜城の石崖裾濃なる　　中村草田男

2　南予地方・芝不器男と松野町

山峡の街道は行き交う人々や馬車の響きで賑わい、道沿いには商家や宿屋、造り酒屋や蔵が建ち並ぶ……往時の松丸街道は様々な音が瓦屋根や山々に跳ね返りつつ、谺《こだま》となって町に鳴り響いたものだ。

松丸地域は土佐幡多郡と南予地域を結ぶ交通の要所で、明治期以降は養蚕業も発展し、南予有数の町に成長していた。先の『宇和島案内』にも松丸の蚕業は目覚ましいとあり、特に芝悌吉《しばていきち》経営の松翠館《しょうすいかん》は大規模な蚕種製造に成功し、品質も確かだったという。芝悌吉は松丸の大庄屋である芝家の長男で、俳句も嗜み、「王国洞（大極道のもじり）」と号した。各地の人々や文化が交錯する街道筋の庄屋の気風か、芝家では家族や近隣の人々が句会に興じ、その中には五男の不器男《ふきお》の姿もよく見られた。

不器男は七人兄妹の末っ子で、鷹揚な庄屋の子として伸び伸びと育った。明治《あけはる》高等小学校から宇和島中学、松山高校へ進学し、川での魚釣りやテニス、登山を好む一方、読書にも耽溺した。夏目漱石やチェーホフ、万葉集、「アララギ」に「ホトトギス」……不器男は一家を担う長男ではなく、働き通しの小作農でもなかった。ゆえに彼は兄姉や嫂らの庇護の下で趣味に浸りえたのだ。

無論、不器男にも悩みはあった。彼は俗世間の打算や人間関係の裏表といったものを厭い、偽りのない素朴な精神を愛したが、庄屋の五男でも生活する以上はそれらを避けられない。加えて、進学のため郷里を離れて宇和島や松山で暮らし、大学時代に東京や仙台にも住んだ不器男は山峡の暮らしに収まらない豊富な知見や体験を身につけており、しかも芝家は傾き始めていた。大正期に人造絹糸が流通に乗ると養蚕業は大打撃を受け、松丸一帯の養蚕農家も例外ではなかったのだ。学生の不器男は三間の庄屋だった太宰家から学資の援助を仰いでおり、彼の生活にも不穏な影は忍びよりつつあった。

しかし、不器男が句に詠んだ郷里の姿は穏やかで、悠長迫らぬ懐かしい情景が広がっている。

うまや路や松のはろかに狂ひ凧

正月の街道風景だろうか。人々が行き交う街道も元日頃は静かになり、大きく聳える松の木の彼方に子どもらの凧揚げが小さく見える。正月の空に凧が浮び、中には風に乱れて左右に狂う凧もある……三が日の昼下がりに、微かな翳りを帯びた「狂ひ凧」を眺める作者。街道を「うまや（駅）路」と古風に詠んだこの句は、江戸期の風景としてもおかしくない。俳句を真剣に詠み始めた頃の不器男にとって、松丸の情景は郷愁に近い色を湛えており、それは郷里を一度離れた人間が慈しむべきふるさとの姿として再発見した何気ない日常だった。

摺り溜る籾掻くことや子供の手
畑打ちや影まねびゐる向ふ山

写真２　河後森城跡から松野町を眺める

籾摺機に溜まる籾を掻き出そうと健気に手伝う子どもの姿、あるいは日が傾きかけても山の斜面で畑打ちに精を出す農夫の影が伸び始め、その影が人の動作を真似るかに感じられた、午後の長いひととき。不器男が好んだこれらの長閑で素朴な農村風景は、初めから郷里に存在したわけではない。松丸を懐かしい故郷と自覚しつつ、村の淳朴な暮らしを万葉集のように堂々と詠むべきと信じた俳人不器男が見出した今一つの光景だったのだ。折しも人造絹糸の氾濫や深刻な不況続きで、松丸の多くの養蚕農家や芝家が斜陽になり始めた頃だった。

今も松丸街道の名残は僅かに遺っている。松丸駅からほど近い旧街道筋に正木酒造という立派な日本家屋があり、そばに不器男の生家もある（現在は不器男記念館として保存）。少し歩くと古めかしい庇の影を道に落とす家屋も点在しており、往時の風情がそこはかとなく漂う。
正木酒造の裏側は山で、河後森《かごもり》城跡と呼ばれている。土佐と伊予の国境の要所として山城が築かれ、戦国時代には度々合戦場となり、また不器男もよく登ったという。山へ続く道を少し登ると、正木酒造の大屋根や民家の瓦屋根が連なるように見える場所があり、まるで大正期や昭和初期を想わせる情景だ。ふと山から一陣の風が吹き下り、瓦屋根を通り過ぎゆく。その音に幻のように混じる、かつての馬車のさざめき。

桑の実や馬車の通ひ路行きしかば　不器男

3　東予地方・今治と徳冨蘆花

名文家で知られる徳富蘇峰、蘆花兄弟を生んだ徳富家は熊本水俣の村を治める庄屋の家柄で、父一敬《かずたか》は横井小楠に師事して藩政に携わる国士だった。一敬は漢学を修めたが、維新後の開明の気風も手伝って子の蘇峰や蘆花は京都の同志社英学校に入学する。しかし、学生騒動絡みで兄弟は退学し、帰郷した後、蘆花はキリスト教の洗礼を受けた。蘇峰も同志社時代にキリスト教に入信していたが、特に蘆花はキリスト教の理想主義と現実との摩擦に深く悩む人生を歩むことになる。

写真3　今治教会跡碑

帰郷後の蘆花は兄蘇峰との折り合いが悪く、心配した一家は蘆花を横井時雄（横井小楠の長男）の居る今治教会に預けることになった。横井は徳富兄弟と従兄弟の間柄で、同志社の新島襄の薫陶を受けて今治教会——四国初のプロテスタント教会だった——で布教に励んでいた。蘆花は時雄の伝道を手伝いつつ教会運営の今治英学校で教壇に立つ。一八八六年、横井が同志社に戻ることになったため、蘆花も彼とともに京都に向かい、同志社に再入学した。今治での英語教師生活は一年余りだったが、多感な青春期を過ごした町として蘆花には忘れがたい土地になった。

一九一三年の秋、人気作家として名声を確立した蘆花は九州旅行を思い立ち、東京から大阪まで汽車で向かった後、船に乗り換える。明石海峡が夕焼けに染まり、播磨灘を過ぎた頃には夜になり、船は穏やかな海を静かに進む。夜半にふと目覚めた蘆花が部屋を出ると、夜が明けるに従って次のような情景が眼に迫った。

> 四阪精錬所の電燈明るい島を左舷に見る頃から、背の東が白みそめ、今治沖で夜が明けた。伊予の今治、今治は余に忘れられぬ追憶の郷である。（略）約三十年、一たびも見舞ふ機会を有たなかつたが、折にふれて此海つきの小さな城下町を憶出でぬこ

とはない。（略）春には桜花の美しかつた吹揚の城址も小高く見える。教会は如何か。
町も変わつたことであらう。

（『死の蔭に』、「木浦丸」）

「四阪《しさか》精錬所」は住友別子銅山の施設で、新居浜と今治の間に浮かぶ四阪島を指し、島全体に銅精錬所や社宅等が建ち並んでいた。精錬所は昼夜を問わず稼働し続けており、蘆花は夜闇に明るい四阪島を見て今治が近いことを知る。彼は一〇代初めにも横井時雄の下で夏を過ごしており、思春期に二度過ごした今治は懐かしい地だったのだ。夜空が白み、瀬戸内に曙光が射しそめる頃、沿岸には今治城も見え、彼の胸中は懐旧の念に満たされる。

写真4　四阪島精錬所絵葉書

蘆花は、この時の旅行では甲板から今治を眺めるのみだったが、数年後の大正七年には今治の地に降り立った。静かな士族町から産業都市に変貌した町並みに驚きつつ、追憶に急きたてられるように市内を散策する。その時、彼の耳に響く音があった。「正午の鐘が鳴る。それは会堂のだつた。鐘楼が見えて居る。（略）夕方再び会堂の鐘が鳴る」（大正期の日記より）。今治教会の時を告げる鐘で、蘆花には懐かしい音色だった。

この鐘は、今治教会の熱心さがアメリカに伝わり、明治期にアイオワ州の教会組織から贈られた鐘で、後に札幌農学校と同志社にも寄贈された。今治は日本初の洋鐘を鳴り響かせた地であり、横井時雄ら教会の伝道がいかに熱心だったかがうかがえる。

教会の鐘を聴きながら蘆花が今治を逍遙した大正期から約四半世紀を過ぎた一九四二年、太平洋戦争の戦況悪化で金属類が回収された際、今治教会の鐘も供出された。それは奇しくも大正期に蘆花が目を細めた四阪精錬所で溶かされ、また今治教会も一九四五年八月の空襲で焼け落ちる。蘆花、時雄ともに一九二七年に没しており、約一八年後のことだった。

秋頃、今治教会の跡地を訪れたことがある。閑散としたアーケード商店街を通り抜けた先の、港近くの雑然とした場所に碑が建っていた。潮の匂いが鼻を掠め、夕暮れが碑を染めあげる中、碑文を読んでいると港の方から汽笛の音が鳴り響く。教会の鐘よりもくぐもった、遠い世から聞こえるような響きで、やがて暮光に溶けるように消えていった。

4　東予地方・山口誓子と新居浜

産業と芸術は関係が深い。一九世紀に画家は汽車の煙を描き、二〇世紀には写真家が石炭荷役機を撮った。建築家や文学者も産業に芸術性を見出すなど、機械文明と近代芸術は密接な間柄にあり、それは俳句も同様である。

近代産業の美を謳った俳人といえば、昭和期の山口誓子であろう。若くして天才と呼ばれた彼は飛行機や起重機、機関車等を詠み、従来の俳句が苦手とした機械美を謳う俳人として畏敬された。たとえば、九州の八幡製鉄所を詠んだ「七月の青嶺まぢかく熔鑛爐」は、俳句史上の傑作と名高い。

その誓子は新居浜の別子銅山に幾度か訪れている。彼は住友に勤めており、仕事関連で銅山に赴いたのだ。有名なのは昭和三二年に訪れた際、「大露頭赭くてそこは雪積まず」と詠み（「大露頭」は鉱床が地表に露出し、酸化したもの）、東平修理工場前に句碑が建立されたことだろう（現在は港付近に移設）。しかし、誓子は一九三七年にも銅山を訪れており、その様子を次のように記している。

東平の事業場へ行く日のことであつたが、瑞出場といふ鉱山鉄道の終点で降り、そこで坑内電車に乗換へた。（略）電車は動き出すと直ぐ隧道に入つたが、私達の人車は板の椅子だつたので強い震動が絶えず頭にひびいたし、荒削りの岩の天井から水の滴が私達の夏帽にしたたり落ちた。隧道の内部はとびとびに燈が点いてゐて、それが真直ぐに世界の果まで達してゐるやうな感じがした。

（『海の庭』、一九四二）

新居浜駅から端出場に向かい、坑内鉄道に乗り換えて東平まで上り、その日は山中の接待館（推定）に泊まったらしい。「私達の部屋の前には谿を隔てゝ夏山が青く塞がつてゐたが、夜になると下の東平の村に燈が点いて大きな蛍籠のやうに見えた」（誓子『春夏秋冬』）。誓子が訪れたのは一九三七年七月、東平にはまだ一五〇〇人強の人々が住んでいたのだ。

先日、鉱山鉄道として栄えた旧星越駅に立ち寄った。小さな木造駅舎で、すぐ後ろに大きな選鉱場が控えている。戦前の誓子が「蛍籠」に見えたという夜の東平に住む人々も、

写真5　別子銅山端出場

日中は星越駅を利用することもあったろう。駅舎はかつての賑わいを漂わせつつ、西日を浴びてたたずんでいた。

〔参考文献〕
秋田忠俊『愛媛の文学散歩』シリーズ　愛媛文化双書刊行会、一九七〇〜一九七四年
鶴村公一『伊予路の文学遺跡散歩』シリーズ　松山郷土史文学研究会、一九七六〜一九八一年
図子英雄責任編集『ふるさと文学館四四巻　愛媛』ぎょうせい、一九九三年
図子英雄『愛媛の文学』　愛媛県文化振興財団、二〇〇一年
谷岡武城『宇和島の文学』　新風舎、二〇〇七年
澄田恭一『大洲・内子を掘る』　アトラス出版、二〇〇八年

column

芭蕉和紙を利用した町おこし

福垣内　暁

愛媛県松山市から国道五六号線を約四〇㎞南進すると内子《うちこ》座で有名な内子町が、さらに進むと伊予の小京都といわれる大洲《おおず》市に到着する。これらの地域では、お盆になるとご先祖様をお迎えするために、棚飾りをする風習がある。棚飾りには果物などのお供えをするのだが、そのお供え物の敷物としてバショウの葉が古くから使用されている。そのためか、付近の庭や畑などにバショウを確認することができる。バショウはバナナ科の多年草であり大きなものだと高さが二〜三mまでに成長する。しかし、これらの地域ではお盆が終わると翌年の棚飾りのために、バショウは切り倒されて廃棄されてしまう。

写真1　バショウ

二〇一七年四月に本学の大洲市出身の学生から、廃棄されるバショウの有効活用法について相談を受けた。バショウをよく観察してみると、茎部分が繊維質であり、紙の原料として適しているのではないかと考えた。そこで、バショウの茎を水熱処理してみると、透明度の高い微細な繊維を得ることに成功した。このバショウ繊維を網で漉くと、太い繊維と細い繊維が織り交ざった風合いの良い紙に仕上がった。我々はこの紙を芭蕉和紙と命名し、この地域における新たな伝統産業にしていきたいと考えた。内子町の五十崎《いかざき》地区で

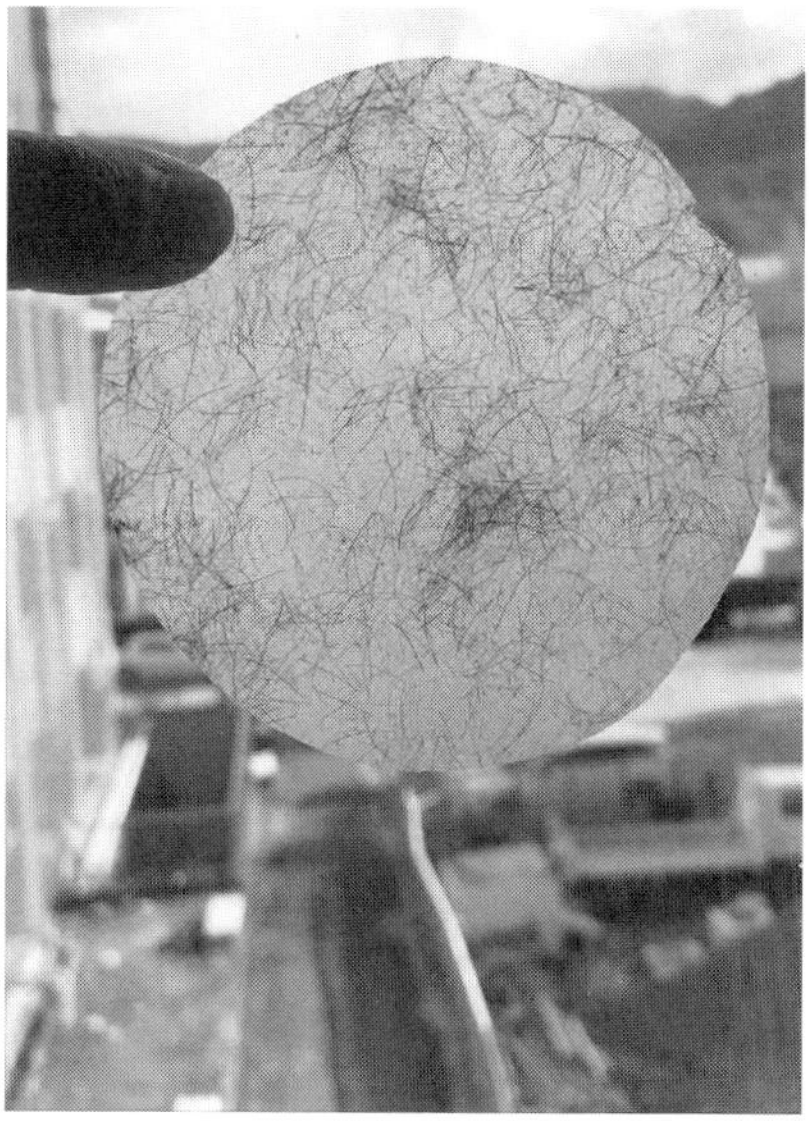

写真2　芭蕉和紙

は、江戸時代から和紙産業が盛んであったが、近年では、和紙事業者は数件を残すのみとなった。このような和紙伝統文化が根付いた地域に新しい和紙文化を醸成させることができれば地域活性化に寄与できるのではないかと考えた。都合の良いことに、この時期に内子町で和紙について講演する機会があった。その講演の最後にバショウから和紙ができることを簡単に報告したところ講演に参加されていた地域住民の方達は、バショウから和紙ができることにまず驚かれ、そして、芭蕉和紙の風合いに大変興味を持たれた。これを機に学民で芭蕉和紙の商品化を見据えた町おこしに取り組むことになった。

芭蕉和紙の商品化を実現するためには、芭蕉和紙がどのような特性を持ち合わせているかを把握する必要がある。従ってまずは芭蕉和紙の詳細な分析をすすめていくことにした。分析の結果、芭蕉和紙には三つの特徴があることが判明した。第一に透明性である。芭蕉和紙を手に取ると、手が透けて見えるほど透明である。しかし、太い繊維も含まれていることから、完全な透明ではなく、和紙としての風合いは維持している。第二に染色性が挙げられる。赤、緑、青など染料の色を損なうことなく染色可能である。濃く染めることもできるが透明性は維持している。そして第三に、滲まないという特徴を有している。通常の和紙に墨で文字を書くと滲みができるが、芭蕉和紙では滲みができず、明瞭な文字に仕上がる。これら三つの特徴は、既存の和紙にはない芭蕉和紙の優位性である。これらの特徴を前面に押し出した商品化が必要であると感じている。

一方、芭蕉和紙を地域の新しい伝統産業にしていくためには、芭蕉和紙の認知度を高める必要がある。そこで地域のイベントに学生とともに参加することにした。内子町の五十崎地区では毎年一二月に「和紙創作展」が開催されている。地元の和紙作家の方達が自らの作品を展示・販売するイベントである。この展示会には、芭蕉和紙の透明性を活かしたタペストリーやアクセサリーを出展した。そして、内子町小田地区で夏に開催されている「小田燈籠祭り」に参加した。この燈籠祭りでは、商店街に燈籠を飾り、近くを流れる小田川に燈籠を流す行事が行われている。我々は、小田地区に植生しているバショウを原料にした芭蕉和紙を用いて燈籠を作製した。既存の和紙とは異なる風合い・透明性・染色性が活かされた燈籠となり、芭蕉和紙燈籠は幻想的な光を放っていた。また、松山市で秋に開催されている「えひめ・まつやま産業まつり」にも参画し、来場者の方に芭蕉和紙の手すき体験を行ってもらった。近年、紙を漉いた経験がない方も多く、紙すきの体験と同時に、芭蕉和紙の特徴である透明性や染色性を体感いただき大変好評であった。以上のような様々なイベントに参加することで、地元住民の方との交流が深まると同時に、芭蕉和紙を広く知っていただくきっかけにもなった。

最後に芭蕉和紙の特徴についてアカデミックな視点から解説したい。バショウの茎から得られた繊維には最先端の素材であるセルロースナノファイバー（CNF）という超微細繊維が含まれている。芭蕉和紙の数々の新奇な特徴はこのCNFに起因すると考えている。現在、国内外でCNFを利用した研究開発が多くの産・学・官で実施されており、既に一部は製品化されている。我々の芭蕉和紙はこれらの工業製品とは一線を画し、芭蕉和紙独自の特徴を活かすことができる分野での商品化を目標に現在も研究を継続している。

〔参考文献〕

小林良生「和紙の里紀行　～続『和紙周遊』～」美巧社、二〇一五年
ナノセルロースフォーラムホームページ
https://unit.aist.go.jp/rpd-mc/ncf/index.html

愛媛の文化資源と観光

井口　梓

はじめに——観光資源とはなにか

平成三〇年の愛媛県の観光客総数は約二五〇〇万人とされ、その地域別内訳を見ると、松山圏域が全体の半数に迫る約一〇〇〇万人、以下、今治圏域の約四五〇万人、八幡浜・大洲圏域の約四〇〇万人、東予東部圏域の約三〇〇万人、宇和島圏域の約二七〇万人と続く（愛媛県　二〇一九）。すなわち、愛媛県において何かしらの観光行動をともなう人々のうち五人に二人は松山市周辺を訪れていることになり、愛媛県における観光客の動態は松山市周辺に集中する傾向を見せている。

さて、松山市周辺の観光資源といえば、思いつくのは何だろうか。おそらく多くの読者が「道後温泉」や「松山城」を思い浮かべるだろう。映画『千と千尋の神隠し』の舞台モデルともいわれる道後温泉本館を擁する道後温泉は、愛媛を代表する観光資源であるだけではなく、日本の温泉文化を代表する観光資源の一つである。また、道後平野に屹立する松山城はそのランドマーク性もあり、初見の者にとってはそこを訪れるに足る存在感を伴っている。

言うまでもなく愛媛県の観光資源は松山圏域のみに集約されて語られるものではない。今治圏域のしまなみ海道は日本のサイクルツーリズムを代表するルートとして確立されつつあり、八幡浜・大洲圏域における内子町《うちこちょう》や卯之町《うのまち》の商家建築は日本の伝統的町並みを代表する一つである。また、東予圏域の別子銅山関連遺構は日本の近代化を支えた近代化遺産として国内でも別格の存在感を放っている。ただし、本章で扱う観光資源はこうしたすでに評価や価値が確立されているものではない。

観光資源という言葉はその字の通り観光と資源とを合わせた複合語である。この意味を理解する上で重要な点は観光ではなく、資源の方にある。資源とは何かしらの観点から利用価値のあるものであり、観光の場合、その対象の多くは有形無形の文化資源が有するモノ・コトを指す。しかし、現在において資源と呼ばれうるモノ・コトは当初からその利用価値を認められていたわけではない。あるモノ・コトがあったとして、そこに何らかの利用価値を社会から見いだされ、そこで初めて「資源となるように手を入れられる」のである。すなわち、観光資源とは、観光の観点からその利用価値を見いだされ、観光資源となったモノ・コトであり、当初は観光とは無縁であることが多い。

例えば、前述した松山城はそもそも軍事拠点かつ政庁であり、しまなみ海道は島嶼を結ぶ自動車道である。これらはその本来の機能とは別に観光的観点から有用性を見いだされ、手を入れられ、観光資源となったモノ・コトなのであり、ここに至るまで様々な過程を経ている。このように観光資源の成り立ちを過程的に考える視点は「大学的」に観光資源を考えるうえで重要な視点と考える。

筆者の研究室は観光をテーマとしており、これまで地域住民や行政と協働して県内の多種多様なモノ・コトの観光資源化のプロセスに関わってきた。本章ではそのうちのいくつかの取組の紹介を通じて、一般的な観光ガイドブックに掲載されないような愛媛県の観光資源となるべく再評価されつつある文化資源のモノ・コトを紹介したい。

1　三津浜まち歩きガイドブック——松山市三津浜地区

松山市西部に位置する三津浜《みつはま》地区は近世には松山藩の軍港として、近代以降には松山市と瀬戸内の島々・中国地方・九州地方とを繋ぐ港として、物資輸送はもちろん、人員輸送の結節点として栄えた地区である。また、松山市中心部は太平洋戦争末期の松山大空襲により、伝統的な建築が僅少であるが、三津浜地区は無災地域であった。そのため同地区には伝統的な商家建築や擬洋風建築がまとまって現存していることに加えて、戦後に発展した商店街を中心に昭和レトロな町並みが残存している。三津浜地区全体の活気は、交通網の主役が海路から陸路や空路に移行したことに伴い、一九六〇年代中頃をピークに低下していたが、近年、地域住民がこうした有形無形の歴史的資産の価値を自覚的に活用した観光まちづくりが急速に進んでいる。

写真1　三津と港山を結ぶ「三津の渡し」

『三津浜まち歩きガイドブック』はこうした動きを側方から支援すべく、三津浜地区まちづくり協議会、平成船手組、松山市、そして筆者の研究室との協働で実施されたプロジェクトである。本プロジェクトはその名称の通り、まち歩きに供するガイドブックの作成であり、地区全体が観光資源となりつつある三津浜地区の現状を踏まえて、来訪者にその歴史的資産の由来をあらためて伝えつつ、地区内を散策できるようなしかけづくりを目的としている。またガイドブックの副題に「三津浜検定」と付されているように、一般的なガイドブックと異なり、学びを伴うまち歩きが自律的に行われることを企図している。本ガイドブックは「俳句」「港と産業」「町並み」「文化」の四セクションから構成されており、本節ではそれぞれの簡単な紹介をもって、観光資源となりつつある三津浜地区の紹介としたい。

まず「俳句」であるが、松山市は近代俳句の始祖・正岡子規の出身地であり、子規は度々三津浜を訪れ、その情景を詠んだ句をいくつも残している。これ以外にも、三津浜の周辺には、かつての俳人たちが三津浜を詠んだ多数の句碑が建立されており、その中には松尾芭蕉や小林一茶らの著名な俳人も含まれる。三津浜地区ではこうした句碑や句に詠まれた情景を巡ることによって、かつての三津浜の情景を追体験するとともに、三津浜地区の俳

三津浜の港と産業

三津浜の港は、漁業とともに、松山の物流拠点として様々な産業が栄えた。港町の歴史を産業から紐解くと、活気ある人々の暮らしがみえてくる。

三津の朝市

三津の朝市はかつて商業、漁業の中心地であったが、昭和56（1981）年に、松山市中央卸売市場開設に伴い一度役割を終えた。しかし、地元の人たちを中心にして、長年にわたる地道な復活に向けた活動の結果、平成16（2004）年に再開された。

三津の朝市　むかし

三津の朝市は江戸時代から松山の名物であった。応仁元年（1467年）頃に湊山城主の河野通春が近郊の農漁村から城兵のための米や魚、野菜などの食糧を仕入れるようになったことで三津に人や物資が集まるようになり、現在の三津の渡しの周辺に市を形成されたことが起源とされている。明治21（1888）年には丸屋根で円形の魚市場が建設された。

▶ 松浦巌暉「愛媛県三津魚市之賽況図」（松山市公設水産地方卸売市場所蔵）

伊予節からわかる過去の三津浜

▶ かつての三津の朝市の様子（松山市坂の上の雲ミュージアム所蔵）

伊予節とは、伊予の名物や名所を巧みに詠みこんだ愛媛を代表する民謡である。伊予節では、三津の朝市が「伊予の松山名物名所、伊予の朝市、道後の湯」と謡われ、道後温泉と並び称される松山の名所であった。
さらに、郷土読本には「朝市が伊予節に謡われて名物に数えられるゆえんは、何といってもあの特殊な大円形の建物の中で行われる生魚のセリ市である（以下略）」と書かれており、大勢の人々が大量の魚を目当てにセリ場に集まり、夜が明けると同時に静寂が訪れる当時の市場の賑わいを描写している。

-7-

富岡鉄斎が見た魚市

京都出身の画家、富岡鉄斎はかつての三津の魚市の様子を「三津濱魚市圖」として描いた。明治８（1875）年11月13日、富岡鉄斎は三津浜の石崎平八郎が営む「抱山枕海楼」に宿泊した。翌朝に浜辺の魚市を見て興味をもった鉄斎は、京都へ帰る出発間際の酒席で「三津濱魚市圖」を描き、石崎氏に贈った。約200人の人々が浜辺に集まり、活気みなぎるセリをおこなう様子が見て取れる。この絵は当時の様子が分かり、文化財的価値も高いとされている。明治26（1893）年に鉄斎が石崎家などに長期滞在した際の礼状には、「人情の厚いことを誇りに思っている。様々な人々が自分に厚意を持ってくれて大満悦でこんな嬉しいことはない。ぜひご近所の方々にお礼を申し上げてほしい」と、三津の人々への感謝がしたためられている。

▶ 富岡鉄斎「三津濱魚市圖」
鉄斎研究所編（1976）「鉄斎研究」24号より転載。

三津の朝市　いま

松山市民の台所と称される松山市公設水産地方卸売市場では、魚の消費が減りつつある昨今の実情に対して、三津浜地区の関係団体等と協力し、三津の朝市「旬・鮮・味まつり」を開催している。これは、魚食普及の取り組みの１つとして、瀬戸内の魚の美味しさを市民に伝えることを目的に行っている。このイベントが、市場の新鮮な魚介類を誰でも手に入れることができる唯一の機会である。同時に、ご当地グルメの販売やこども釣り堀コーナー、セリ人による魚介類の模擬セリ、餅まきなども開催されている。

▼ 三津の朝市「旬・鮮・味まつり」の様子

コラム －海媛隊・海宴隊－

市場の生鮮食品を市民に食してもらうために、水産市場で取引している有志の店舗が協力し「三津の朝市　海媛隊・海宴隊」を結成した。市場から流通する魚介類の取り扱い事業者であることが明確に分かるように、のぼりや看板を掲げている。

▶ 海宴隊の旗

▶ 鯛
正岡子規は数ある魚の中で鯛を使った魚料理を好んだ。現在5種類の鯛料理を水産市場と三津浜地区まちづくり協議会が復活させた。

▶ ガンゾウヒラメ
干物にしたものをデビラと呼び、かつて天日干ししていた光景が三津浜ならではの風物詩だった。その光景が見られる道をデビラ街道と呼んだ。

▶ 小魚や小エビ
近藤文太郎は子魚や小エビを使用した伊予の名産「二名煮」を製造販売していた。鉄斎が古事記にある四国の別名・二名島にちなんで命名した。

▶ シンボルマーク
平成21（2009）年度から松山市中央卸売市場が実施する「安全な生鮮食品は市場がいちばん安心事業」の宣伝のためのシンボルマーク。

-8-

図１　「三津浜まち歩きガイドブック」

句文化への理解を深めてもらいたい。

　三津浜は港湾を中心とする物流の集散地であったことから、鉄道・船舶・漁具・魚市場・醸造業・商店街などの数々の産業・商業が発達してきた。こうした港湾を中心とする各種産業・商業の関連施設を巡るセクションが「港と産業」である。特にかつての三津浜の活況を今に伝えるものとして「三津の朝市」が挙げられる。愛媛の伝統民謡・伊予節では「伊予の松山名物名所、三津の朝市、道後の湯」と謡われているように、三津の朝市は道後温泉と並び称される松山の名所であった。同朝市の系譜は三津浜埠頭に位置する松山市公設水産卸売市場として現在に伝えられている。

「町並み」では前述した現存する三津浜地区の古建築の代表例として、精米業を営んでいた森家、廻船問屋を営んでいた木村家、鉄筋建築の石崎汽船旧本社ビル等を紹介するとともに、近年の三津浜地区における観光まちづくりの原動力となっている町家バンク「ミツハマル」を通じた古建築のリノベーション例を紹介している。現在の三津浜地区はミツハマルを介した若手店主による新規開業が相次いでおり、これらを目当てに三津浜地区を訪れる来訪客も少なくない。古くて新しい三津浜地区をぜひ体験していただきたい。

最後の「文化」では三津浜の食文化・人物・祭礼・信仰等を紹介している。その一つとして、三津浜のアイデンティティを支える食文化として三津浜焼きが挙げられる。三津浜焼きは「一銭洋食」を起源とする半月型のお好み焼き状の軽食であり、ちくわや魚のけずり粉など港町らしい食材が使われている。三津浜地区といえば三津浜焼きと言われるように、三津浜焼きは三津浜っ子のソウルフードである。まちあるきの途中にぜひ味わっていただきたい。

2　わたしが旅するさくさくさくらい——今治市桜井地区

今治市南東端に位置する桜井地区は古くから瀬戸内廻船の拠点港として発展するとともに、鯛・海老・カニなどの瀬戸内海の豊かな地物が揚がる港町として知られている。しかしながら、現在の桜井地区は海運の衰退に端を発し、基幹産業の漁業においても魚価の低迷等により厳しい局面に立たされている。一方、日本の渚一〇〇選に選定されている桜井海岸、菅原道真との縁の深い綱敷《つなしき》天満宮、月賦販売を生み出したとされる桜井漆器、そして漁業の町・廻船の町・漆器の町として栄えたことに由来する独特の町並みなど、桜井地区は周辺とは一線を画す風土に恵まれている地区でもある。

こうした状況を踏まえ、二〇一七年度に今治市・桜井地区地域水産業再生委員会、そして愛媛大学社会共創学部との連携により、桜井地区において潜在的な資源性を持つモノ・コトの網羅的な基礎調査を実施し、二〇一八年度から筆者の研究室がこれらのモノ・コトを四つの視点からコンテンツとしてまとめ上げ、発信するプロジェクトに取り組んでいる。以下、この四つの視点から桜井の観光資源を紹介しよう。

写真2　引潮であらわれる椀船の港

第一の視点は「瀬戸内海と港町・桜井」である。桜井地区の特性は長い海岸線であり、潮流の速い燧灘《ひうちなだ》は古くから航海の難所とされていた。しかしながら、桜井の人々はこれら資源を活かし燧灘とともに生活を形づくってきた。その結果、漆器の椀船や漁業といった産業文化や生活文化が育まれてきた。本視点では「新旧二つの桜井港」「伝統と保存」「桜井から望む燧灘と島々」「港の町並み」「海の恵みと地元の味」「海と共にある港町」という六つのテーマから瀬戸内海と関わってきた桜井特有の文化を紹介するとともに、これ

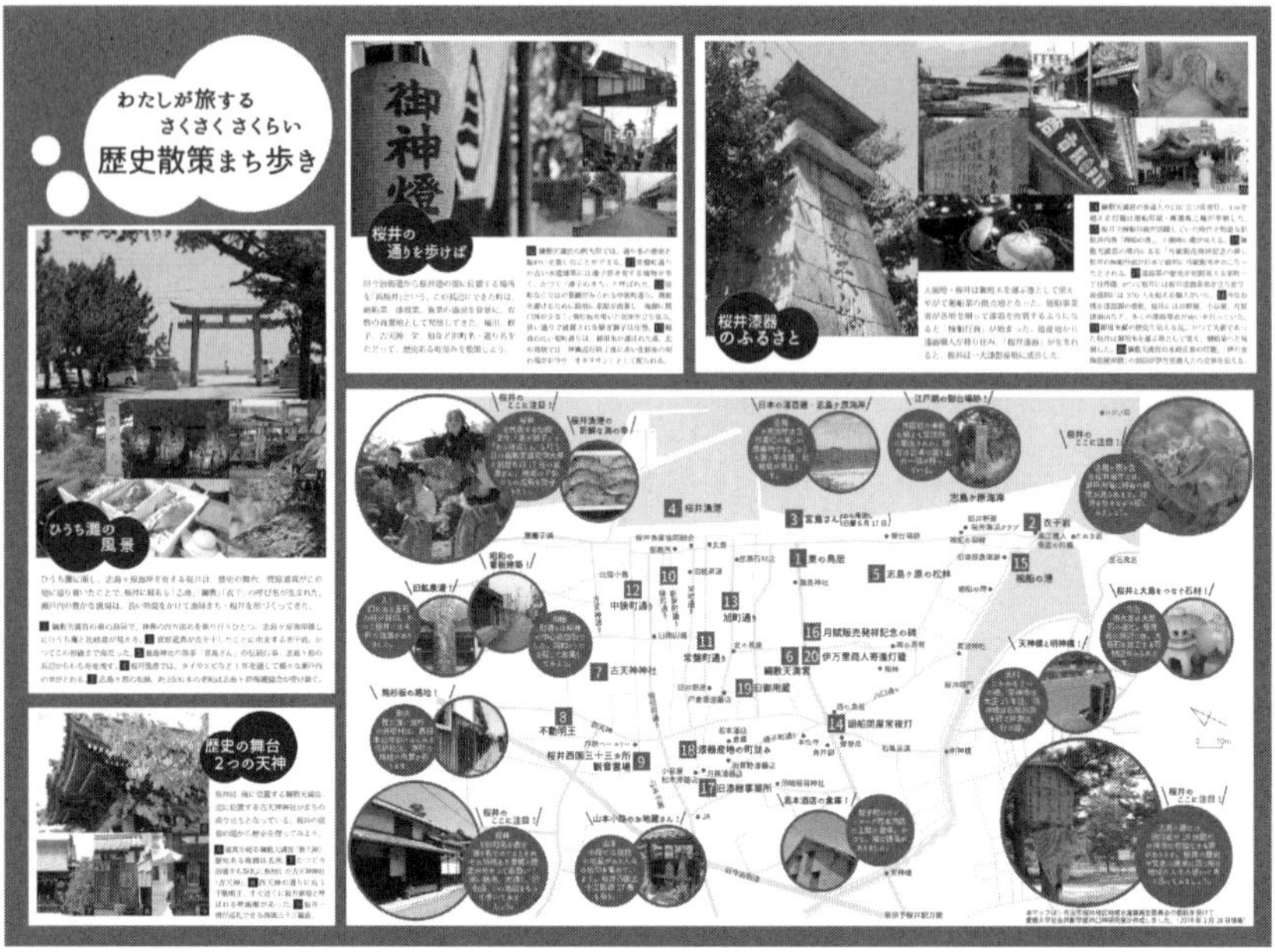

図2 「さくさくさくらい歴史散策まち歩き」

を深く体感できる手法としてサイクリングによる周遊を提案している。

第二の視点は「受け継がれる桜井漆器」として、桜井漆器がもたらしてきた歴史文化に着目する。瀬戸内海がもたらしてきたものとは、豊かな自然、漁場、生活文化、さらに桜井地区と他地域を結ぶ物流の拠点である港である。瀬戸内海に面した旧港を基点とした廻船業をもとに発展してきたのが桜井漆器である。旧港を基点とした行商の中で桜井の先人たちは漆器行商へと転換し、やがて桜井でも漆器を製造するようになる。漆器業によって桜井地区は発展し、人々の暮らしは漆器製造・販売と共にあった。漆器商人（椀屋）の船が多く入港した「椀船の港」が現在も残されている。桜井漆器をより深く理解するために、ここでは「受け継がれてきた伝統」「進歩する技術」「景観」「発展を支えた人々」「他地域との交流」「賑わい」の六つの側面から桜井地区の魅力を解釈し、来訪客がその魅力を多面的に理解できる視点を提供している。

第三の視点は「信仰」である。桜井漁業協同組合、志島ヶ原《ししまがはら》保護協会、桜井史談会などの多くの地域関係団体、そして桜井地区の住民、漆器産業を支える人々など、桜井には「人」が長い時間をかけて築いた文化とコミュニティがある。これら桜井の人々の文化とコミュニティを支えてきた要素として「信仰」が挙げられる。桜井における信仰の事例として綱敷天満宮の春季例大祭が挙げられるが、本視点ではこうした信仰を伴う各種コト・モノを「伝統芸能」「食」「技術」「行事」「民俗慣習」「暦」「人」の七テーマから解釈する。

最後に第四の視点が旧桜井町の「歴史ある町並み」である。現在の桜井地区には、港町や桜井漆器、信仰などの歴史文化が根付き、地域住民の生活の中で今なお大切に受け継がれている。本視点ではそれらの文化を築いてきた浜桜井と呼ばれる旧市街地の暮らしを垣間見ることができる文化資源を探しながら、その暮らしをたどる。本視点で重要な手がかりとなるのは古地図「愛媛縣櫻井町濱桜井大字地図」であり、古地図を通じて現在の生活文化の基礎となった「港町」と浜桜井町を構成する「町並みと通り名」とに注目し、浜桜井の町並みを歩いてもらいたい。

これらの四視点の詳細と各視点の下にまとめられた桜井地区の観光資源の解説や観光マップはホームページ「わたしが旅するさくさくさくらい」に公開されている。ぜひご覧頂きたい。

3　巨樹巨木の森林文化を活用したサスティナブルツーリズム──内子町小田

内子町東部に位置する小田地区は林業を基幹産業としており、特に地区東端部の渓谷部に広がる国有林は「小田深山」と呼ばれる名木の地として知られている。こうした背景から小田地区は内子町への合併以前から積極的に巨樹巨木・古木の文化財指定を行っており、現在は県指定の天然記念物を含め、一四本が文化財指定を受けている。また、地域住民の樹木に対する意識も高く、地域の有志が「小田の里巨樹・巨木を想う会」を結成し、年に数回のツアーを通じて、文化財としての巨樹巨木の魅力を発信している。

以上を踏まえて、筆者の研究室では、小田の里巨樹・巨木を想う会と協働で景観調査と聞き取り調査を実施し、内子町小田地区の森林文化を記録することでこれを活用したサスティナブルツーリズムの可能性を検討した。ここで言うサスティナブルツーリズムとは、持続性の観点から地域の文化や自然環境に配慮し、これらへの負荷を可能な限り低減し、まちづくりのために実施される観光形態の一つである。

景観調査から、地区内には遍路道を含む旧道沿いに多くの巨樹巨木が残存し「伍社天神《ごしゃてん》社の大イチョウ」など文化財指定を受けていない巨樹巨木の重要性も明らかになった。また、これらの多くが寺社地内に存在していることから、小田地区の巨樹巨木の多くは霊験を伴う対象として現在まで地域の人々に守られてきていることが理解される。加えて、こうしたコミュニティに守られている巨樹巨木以外にも、樹齢一〇〇年以上のカキの古木や

写真３　三島神社の乳出の大イチョウ

サクラの古木が庭に残る民家も多く、各家庭でも多くの樹木が末永く守られていることが明らかになった。

　こうした樹木が現在まで守られてきた理由として、小田地区における人々と樹木との深いかかわりが根底にあることが聞き取り調査から明らかにされた。巨樹巨木が現在まで伝わっていることの根底には、巨樹巨木を切ることへの畏れやその霊験を信じる信仰がある。また、巨樹巨木が位置する空間は寺社が多いことから、巨樹巨木は祭礼や地域住民の集いの場や子供たちの遊びの場との記憶と不可分なものとなっている。さらに巨樹巨木ではなくても、樹木は民家の庭木として家族の記憶を残したり、林業・民具・森林鉄道などとともに語られたりと、小田地区の人々の暮らしに近しい存在である。小田の景観はこうした樹木に付随する信仰・空間・人々の暮らし、すなわち森林文化が基底となり成立している文化的景観であると言えよう。

　最後に小田地区の森林文化を活用したサスティナブルツーリズムの可能性について述べる。小田地区の森林文化は県内でも特異なものであると考えられ、これを活用したサスティナブルツーリズムの可能性は大いに高いものと考えられる。しかし、小田地区は人口減少の進む過疎地域であり、その森林文化の持続可能性を担保するためには、樹木医などの専門家を交えた勉強会など樹木の保全と合わせて、巨樹巨木とこれらに付随する森林文化を

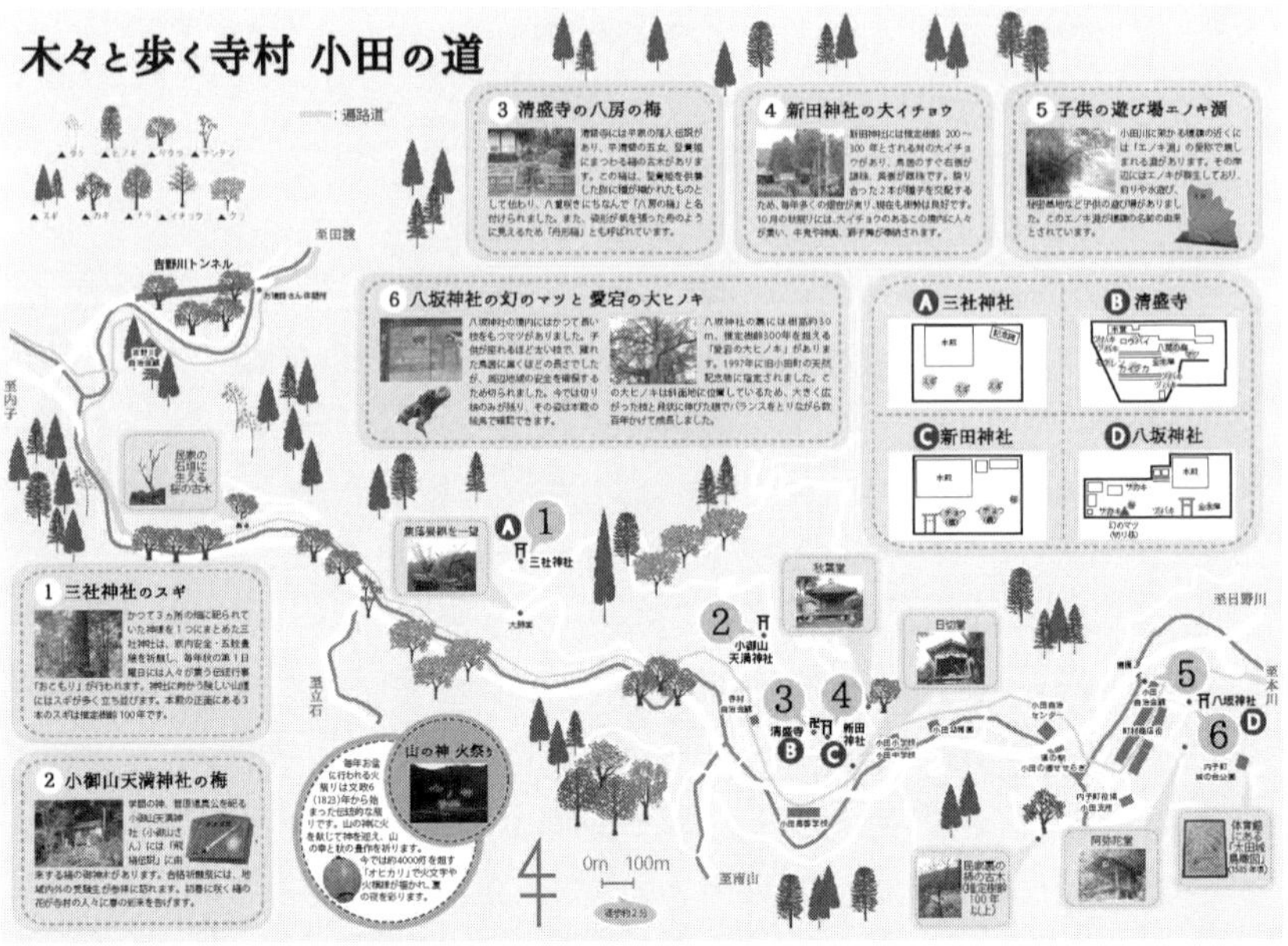

図3 「小田の木々と歩く―寺村・小田編」

伝え学ぶエコツアーの実施など、小田地区の森林文化を護り伝える実践を同時展開することが重要であると考えられる。そこで、本プロジェクトではその一助となるべく調査結果を元にした巨樹巨木マップを作成した。六枚の地図を持って小田の木々を巡り、森林文化にふれてもらいたい。本取り組みはモノ・コトの観光資源プロセスという点では三津浜地区や桜井地区に比べると、大きな展開を見せるものではないかもしれないが、記録を残すという小さなしかけの積み重ねが、いつか大きなプロセスに繋がりうるものと考える。

おわりに

以上、愛媛県の東予・中予・南予地方から三つの事例として今治市桜井地区、松山市三津浜地区、内子町小田地区を挙げ、地域固有の文化資源が有するモノ・コトが観光資源となりつつあるプロセスを概観した。これらの事例は筆者が関わった範囲に限られるので、当然ながら愛媛県全体の状況を網羅したものではないが、今日も県内のどこかで多種多様なモノ・コトが観光資源となるべく試行錯誤を続けている状況にあろう。様々な観光資源に触れることで楽しみや感動を覚える一方で、観光資源の誕生プロセスやその狙いに思いを馳せることも「大学的」な観光の楽しみ方であろう。

〔参考文献〕
愛媛県『平成三〇年観光客とその消費額』愛媛県、二〇一九年
〔参考サイト〕
内子町「小田を木々と歩く（小田巨木MAP）」ダウンロードポータルサイト
https://www.town.uchiko.ehime.jp/soshiki/50/kyoboku.html
今治市桜井地区「わたしが旅するさくさくさくらい」文化コンテンツ（MAP）ダウンロードポータルサイト
http://www.imabari-sakurai.com/sakurai

第2部

産業と経済

農林業と特産品

間々田理彦

はじめに

愛媛県の県民性として、柑橘《かんきつ》をこよなく愛しているといっても過言ではないだろう。まず、愛媛県は四〇年以上、柑橘の生産量が日本一である。栽培している品種は四〇種類以上ともいわれ、実にその中の二〇数品種が全国生産量一位の品種である。

次に消費の側面から柑橘をみてみる。総務省の家計調査における都道府県庁所在地の二〇一五年から二〇一七年の平均値として、松山市の「みかん」の一世帯あたりの購入量は長崎市に次ぐ第二位で約一七・五kg、「その他柑橘」の購入量は第一位で、一世帯あたり一三・七kgである。この数字がどのくらいの量かというと、全国平均は「みかん」が約一〇・六kg、「その他柑橘」が約四・六kgなので、ここから柑橘の購入量の多さが伺える。もっともこの数字にはお裾分けや、実家や知人から送られる数量は含まれていないので、実態としてはさらに多くなると思われる。なお、購入金額は「みかん」が一位、「その他柑橘」は高知市に次ぐ二位である。

しかしながら、すべての柑橘類をまんべんなく購入(＝消費)しているかというと同調査ではそのような結果は出てこない。逆に輸入品となるオレンジやグレープフルーツの購入量は全都道府県庁所在地の中で最下位なのである。これらの結果から県内で生産される柑橘類の消費は活発な一方で県外から来る柑橘類の消費は鈍いことから、愛媛県民の愛媛県産柑橘を強く指向する傾向がみてとれる。

なお、愛媛県は柑橘類以外にも生産量が全国一位の農林産物としてキウイフルーツやはだか麦があり、それ以外にも干し椎茸、里芋といった農林産物の生産も盛んである。そうはいっても、やはり愛媛県を代表する農林業と特産品として柑橘を外すことは出来ないだろう。そこで本章では「柑橘」を対象として生産と消費、島嶼部の柑橘輸送についてみていくこととする。

1　柑橘生産に対する愛媛県の取り組み

愛媛県における基本的な柑橘の生産状況として、二〇一八年時点での愛媛県の柑橘生産面積について、温州《うんしゅう》みかんは約四六〇〇ヘクタール(約七六〇〇経営体)、その他の柑橘は約五三〇〇ヘクタール（約七九〇〇経営体）である。温州みかんの主力生産地は宇和島市や八幡浜市といった県南部（南予地方）が中心であり、その中でも沿岸部の温州みかんは品質もよく高価格で取引される傾向にある。一方、その他の柑橘は県の中心である松山市（中予地方）を主な生産地として八幡浜市や宇和島市、西予《せいよ》市、伊方町《いかたちょう》、愛南町《あいなんちょう》といった南予地方や東部に位置する今治市（東予地方）まで幅広く生産されている傾向にある。

愛媛県における柑橘生産の基本方針は、『愛媛県果樹農業振興計画』をベースとしている。かつて愛媛県の柑橘生産はそのほとんどが温州みかんと伊予柑でしめられていた。しかしながら、総務省の家計調査によるとみかんの消費量は四〇年前の約三分の一になっており消費量自体も年を追うごとに減少している。ただし、近年においては、図1に示すように農家の高齢化による生産量の減少により生産量も一〇万トン台で推移しており、出荷量自体が少なくなっていることから、図2に示すように下落傾向にあるといわれていたみかんの価格も下げ止まりもしくは上昇傾向にある。

とはいえ、従来の温州みかんや伊予柑だけでは、生活様式や嗜好の変化、生産物の高付加価値化に対応しきれないことから、老木化、資材高騰等、生産環境が厳しくなっている状況にあることは変わりない。

ではこのような柑橘生産の現状において、愛媛県として「かんきつ王国えひめ」の地位の維持に取り組んでいるかみていくこととする。

まず愛媛県では、愛媛県オリジナルの柑橘の品種開発を絶え間なく行っている。品種開発の主たる方向性としては高付加価値柑橘の育種・生産であり、現在販売されているものとしては「愛媛果試28号（愛果28号）」と「甘平《かんぺい》」がそれにあたる。「愛果28号」について

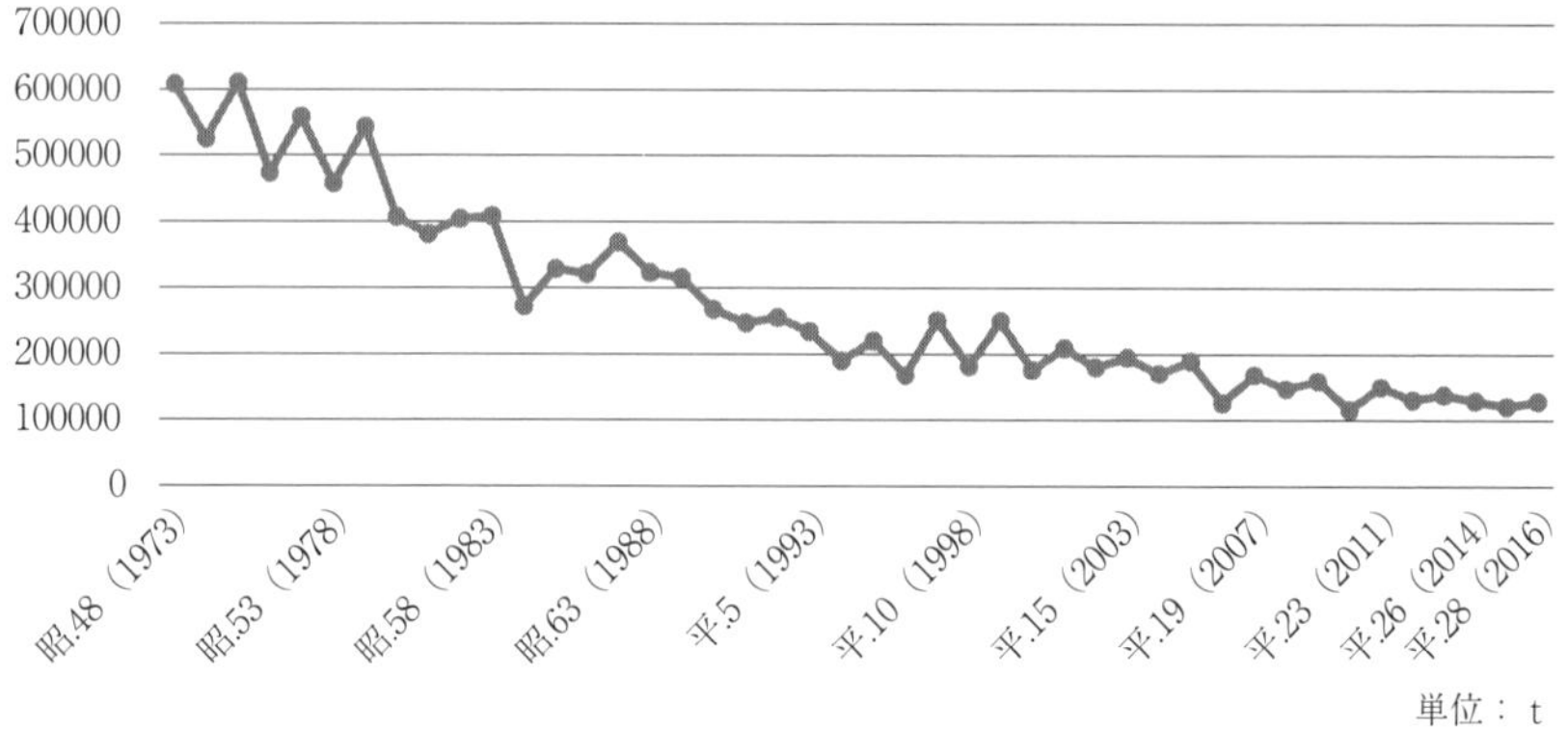

出所：農林水産省『作物統計調査』

図1　愛媛県における温州みかんの生産量の変化

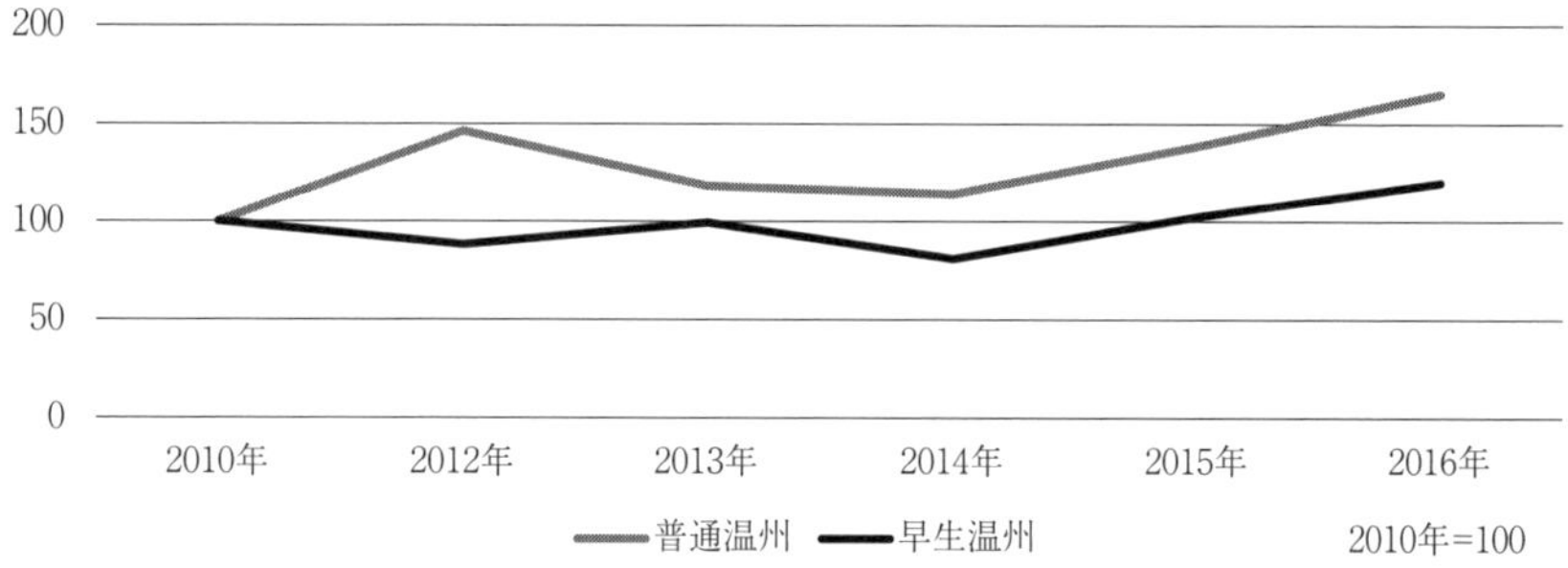

出所：農林水産省『農業物価統計』

図2　温州みかんの価格指数の変化

図3　愛媛県産高級柑橘のひとつである「甘平」

は農協に出荷された果実のうち、規格が満たされたものについて「紅《べに》まどんな」として販売することができる。「紅まどんな」はお歳暮の時期に対応できる贈答用ブランド柑橘として高品質高価格を維持している。農協出荷以外及び「紅まどんな」の規格に満たない愛果28号については「愛果28号」、あるいは「紅まどんな」以外の名称で販売されている。

「甘平」も愛果28号と同様に「甘平」の中でも差別化が図れるよう、高品質対応の規格が定まっている。規格を満たした甘平には「愛媛クイーンスプラッシュ」のブランドで販売することができる。「愛媛クイーンスプラッシュ」の商標登録の権利は愛媛県が有しているため、規格を満たせば誰でも「愛媛クイーンスプラッシュ」ブランドとして販売することができる。

なお、愛媛果試28号も甘平も品種登録の権利の関係上、県外に苗木を持ち出すことは禁止されており、どちらも今後二〇年近く生産は愛媛県内に限定される。言い換えればそれだけ希少性が高まり価格が安定＝農家の収入を増やすことができるということでもある。

現在も県の研究所を中心に新たな品種開発に余念がなく、柑橘の周年出荷を含めて「かんきつ王国えひめ」の地位を維持するべく全県をあげての生産振興や流通・販売の強化に努めている。

2 離島で生産される柑橘の輸送

松山市の沖合に浮かぶ島嶼部（中島・怒和《ぬわ》島・津和地《つわじ》島・睦月《むづき》島・二神《ふたがみ》島）は冬でも温暖な気候と海面からの照り返し等の日照条件の良さから柑橘栽培が盛んで高品質の柑橘の産地として知られる。その中でも中島は島嶼部の中でも面積が最も広く、島嶼部の中では興居《ごご》島と並ぶ柑橘の主力産地である。本節では、普段あまり接することのない、この中島を中心とした柑橘輸送の実態についてみていくこととする。

忽那《くつな》諸島における柑橘生産の歴史は古く、一八三八（天保九）年に中島の旧村にみかん苗が植栽されたとの記録がある。その後、明治期に入り、和歌山や広島の苗木商からみかん苗木を購入し、栽培が広がっていった。

この地域における共同出荷の歴史は一九〇六（明治三九）年までさかのぼることができ、この時は神戸へと運ばれたようである。その後、昭和期に入ると各地でみかんの出荷組合が結成され、各出荷組合がみかん船と契約し、出荷を行っていた。また、中島周辺の島ではみかんと同時期に導入された玉ねぎの栽培も現在に至るまで盛んである。なお、旧中島青果農協（現在のえひめ中央農協）が農協としてみかん販売を手がけたのは、一九六三（昭和三八）年のことである。

二神島を除く怒和島、津和地島、睦月島から中島選果場のある中島へは、通常は船で輸送される。この柑橘類を運搬する船が図4に示す通称「みかん船」である。二〇一四年度に、中島周辺の島嶼から中島の選果場へ輸送しているみかん船は二隻であるが、二〇一三年度の三隻から一隻減少している。いずれの船も排水量は二〇トン以上で、船主は中島の出身である。積載量としては、四五キャリー積めるパレットを最大二五パレット積むことができる。

このみかん船についてであるが、前述したように各島での柑橘栽培が盛んだった時期は、各島から直接本土へ輸送するみかん船が運航されていた。かつてのみかん船は、船を運航しながら農業や漁業を営む「半船半農」「半船半漁」のような船主もいたが、現在の船主は運送専門であり、柑橘の時期以外は玉ねぎやひじきといった、中島及びその周辺で採れる農産物や海産物を運搬しているようである。

クレーンや、収穫から出荷までの貯蔵を目的とした中継保管施設等の設備も各島に整備されている。離島の六支部に設置されているクレーンは一九九一（平成三）年に整備され、それまでコンテナで手積みされていたものがパレット輸送に切り替えられ、品質の維持に貢献している。かつては多くのみかん船が輸送に携わっていたとのことであるが、平成三年の台風十九号による被害を境にみかん船の数は減少の一途をたどっている。

図4　（通称）みかん船の外観

選果された柑橘は、平成二六年までは箱詰めした柑橘を船で本土まで輸送する手段と、トラックをフェリーに乗せる輸送で対応していたが、平成二六年からは中島港からトラックをフェリーに乗せる輸送手段に一本化された。フェリーの到着地は松山市三津港であり、そこから全国各地の市場へと出荷される。また近年では、小売店への販売に対応するため、箱詰めせずリースコンテナを使用した輸送にも対応している。

出荷については、えひめ中央農協全体の支部（五四支部）会議で決められた出荷計画に基づいて選果場での集荷計画が定められる。選果場が市場の選果場は出荷時期の船便対応として、中島と松山を結ぶフェリー一便に付きトラック四台分のスペースを確保している。

離島からの出荷に重要な役割を果たしているみかん船であるが、積み込み作業はクレーン操作が必要であり、どうしても若い世代に負担が偏ってしまうことが多い。また、農協の組合員の高齢化は全体的な作業従事者の減少にもつながるが、農協側としても人員削減等で余裕がなく、金銭的な支援も限られることから喫緊の対策が求められる。

3　柑橘を使用した加工品

果物生産の現場においては、収穫された果実の全てがそのまま出荷（＝生果）できるとは限らない。どれだけ厳密・適切に管理して栽培しても規格外品の発生は避けられない。ではは腐敗等を除いた規格外品、つまり大きすぎたり、小さすぎたり、形が整っていなかったり、果皮の見栄えが著しく悪かったりする果実がどのように流通するかというと、一般的な柑橘農家の場合、大きく分けて二通りある。

一つ目は近年急増している直売所で販売する方法であり、二つ目は加工品の原料にする方法である。それぞれの方法について考えてみると、直売所で販売する方法は加工品の材料よりも高値で売れ、その分、農家の収入が多くなることが期待できる。ただし、直売所で販売するためには自分で直売所への搬入や売れ残り品の搬出をしなければならず、手間を要する。したがって、柑橘の収穫時期という人手がいくらあっても足りない時期に対応できる農家に限られる。

一方、加工品の材料とする場合は、出荷された柑橘を形状や糖度・酸度で階級別に仕分ける選果場で一緒に仕分けしてもらうことができ、基本的に農家の追加的負担はない。ただし、規格外の果実であることから収入は少なくなる。

ここまで、加工品に回る柑橘は規格外の果実が多いという話をしてきたが、実は、柑橘加工品の歴史的な背景として、「加工」には生果の出荷調整機能の役割もあった。

市場に同一農産物が大量に出荷されると価格が下がる、というのは通常のことである。もちろん柑橘といえども例外ではなく、かつて柑橘生産が盛んであった時代は、出荷の数量調整だけでは市場への流入量をコントロールできなくなり、その結果、価格の暴落を招いたことから、国の目標生産量に則った市場出荷量の調整以外の調整方法として加工向けが検討された。その結果、愛媛県で誕生したのが図5にあるＰＯＭジュース（現えひめ飲料）である。しかしながら、そのような、多すぎる柑橘をどのように取り扱うか苦慮した時代は終わり、温州みかんの生産量が減少している昨今の情勢においては、逆にジュース用柑橘の確保が喫緊の課題になっている。

図5　柑橘を使用した加工品の一例

現在では、ジュース以外にもゼリー、シロップ漬け等、加工品の幅も広がっている。もちろん、この流れは温州みかんだけではなく他の柑橘についてもいえることである。

また、加工品とはやや趣旨が異なるが、愛媛県では加工の際に発生する果皮等の残渣を利用した家畜や魚の餌の実用化にも取り組んでいる。すでに商品化されたものも多く、一部の魚は回転寿司チェーン店等で販売されるなど県産柑橘を少しでも有効的に利用するための取り組みに対する研究・開発も積極的に行われている。

4　現代の消費への対応

毎年、九月頃になると愛媛県内のスーパー、直売所、八百屋等では緑色の極早生みかんが店頭に並びはじめ、柑橘のシーズン到来を消費者に実感させる。その後、早生と普通温州みかん、年末に高級品の「愛果28号（紅《べに》まどんな）」、年が明けると「伊予柑」「はれひめ」をはじめとする中晩柑が出回りはじめる。

二月頃になると、「甘平」や「せとか」「はるみ」といった品種の出荷量が増え、売り場でも目につくようになり、図6にあるように柑橘売り場には温州みかんから中晩柑まで、様々な柑橘が並ぶ時期を迎える。よく目にするものだけでも一〇種類以上はあるので自分の好みの柑橘に出会うまでには相当の時間を要する。

その後、春めいてくると梅雨の頃まで県最南端の愛南町が主産地となる河内晩柑が店頭に並ぶ。河内晩柑をもって露地物の柑橘の季節は一旦終わるが、梅雨の中頃からはハウスみかんが出荷されはじめ、極早生みかんまでの橋渡し役を担い、柑橘の周年出荷がほぼ達成されている。

近年では、図7のように選果場にも最新の選果機が導入され、品質の差別化による高付加価値化を目指した柑橘の生産が前述した愛果28号や甘平以外にも温州みかんを含めて取り組まれている。温州みかんに関しては、もともと愛媛県内では現在の八幡浜市を中心として高級温州みかんを生産する産地があり、それらの産地では現在でも積極的な生産を行っている。また、それ以外の地域でも減少した生産者数の維持や生産農家の生産意欲向上を目的として同じ選果場内での出荷された柑橘の品質による差別化を図る動きが見られる。

このように産地では農家の収入維持のために様々な取り組みをしているものの、前述し

図6　旬の時期になると数多くの柑橘品種が並ぶ直売所

図7　みかんの選果機

図8　選果の結果一個ずつ個包装された高品質温州みかん

たように柑橘の国内消費量が落ち込んでいる現状では国内需要を考えるだけでは限界を迎えつつある。そこで、愛媛県でも海外への輸出を目指した様々な取り組みを行っており図9に示すようなポスターを作成したり海外でフェアを開催したりしている。

図9　海外向けの宣伝ポスター

図10　シンガポールで販売されていた愛媛県産柑橘

おわりに

本章では柑橘生産の現状から消費までを一つの流れとしてみてきた。また、普段の生活ではなかなか接する機会がないと思われる島嶼部の柑橘出荷の現状についても触れてみた。

筆者は県外の出身であるが、愛媛県に来た当初は柑橘の種類の豊富さと消費者の柑橘に対する思い入れに圧倒された記憶がある。実際、年末のお歳暮シーズンには贈答用柑橘をカートに高く積んで店内を移動する人の姿が見られるし、年が明けると伊予柑や甘平、せとかといった品種の中晩柑を県外に送る人の姿がどこのスーパーでもみられ、店内は発送待ちの柑橘の箱が堆く積まれる光景を目にする。消費者側も柑橘に対する目が肥えている人が多く、品種、産地、価格をシビアに捉えて柑橘を購入する様子も方方で垣間見ることができる。

本文中では温州みかんを一括りにしているが、見たところ同じに見える温州みかんでも数種類の品種があり、スーパーや直売所によっては品種ごとに売られているのも産地ならではの光景かもしれない。

近年、柑橘の価格が安定しているのは消費が増えたからではなく、生産量の減少によるものが大きいというのは、後ろ向きなやや皮肉な結果であるが、今後の産地維持に関する県や農協の動向にも引き続き強い関心を向けていきたい。

〔参考文献〕
合併三〇年のあゆみ編纂委員会『㊥合併三〇年のあゆみ』中島青果農業協同組合、一九九六年

・本文中の写真はすべて筆者撮影

column

意外とすごいぞ、愛媛の畜産

淡野寧彦

愛媛県で有名な農産物と言えば、「みかん」（温州《うんしゅう》みかんは和歌山県に次ぐ全国二位だが、柑橘《かんきつ》全体では不動の全国一位）を誰しもが挙げるだろうし、詳しい人なら「キウイフルーツ」（実は全国一位）と答えてくるかもしれない。しかし、意外と畜産業も盛んなことは、あまり知られていないだろう。

特に規模の大きいものは養豚業（豚肉）。さすがに鹿児島県や宮崎県などの大産地とは比べものにならないが、飼育頭数は一九万二一〇〇頭（二〇一七年）で、四国四県のみならず、近隣の近畿・中国地方を含めても堂々の第一位。全国でも一六位とまずまずの規模である。かつて一九八〇年代後半には、三〇万頭を超える頭数となった時期もあった。現在、主に豚が飼育されているのは、多い順に西予《せいよ》市、西条市、大洲《おおず》市、四国中央市、今治市などと県内各地に広がっているが、上記五市だけで県全体の約八割が飼育されている。

さて、現在の愛媛県の養豚業を支える中心的な事業として、「ふれ愛《あい》・媛《ひめ》ポーク」という、地名をもじったネーミングの銘柄豚《めいがらとん》（ブランド豚）がある。ふれ愛・媛ポークは、ＪＡ全農えひめが主体となって二〇〇〇年に生産・販売が開始された。実は愛媛県に限らず、一九九〇年代後半頃から、全国的に銘柄豚を生産する動きは高まっていた。この背景には、円高や輸入自由化の流れによって海外産の安い豚肉や牛肉が国内市場に出回ったことがある。そのため、価格競争では対抗し難い国内の生産者らは、飼料の原材料や飼育方法などにこだわって生産した豚肉に名前を付けて販売するようになったのである。ふれ愛・媛ポークの場合、統一の飼料や飼育マニュアルなどが設定され、これに基づいておよそ三〇の農場が生産に取り組んでいる。愛媛県産としての特徴を出すために、飼料には柑橘類から抽出した成分が加えられているという。愛媛県で生産される豚肉の半分近くは、ふれ愛・媛ポークの基準によるものである。

また近年に開始された特徴的な銘柄豚として、二〇〇九年に事業が始まった「愛媛甘とろ豚」がある。特徴の一つとして、肉用に飼育される豚の血統のうち、五〇%に中ヨークシャーという珍しい品種が用いられていることが挙げられる（より簡単に言えば、お父さん豚が中ヨークシャーの純粋種である）。中ヨークシャーは、養豚業に用いられる品種の中ではやや小ぶりで成長も遅めであるために飼育する生産者はごくわずかであるが、肉の旨味の強いことが特色である。与える飼料には愛媛県産の裸麦を原材料全体の五%含め、一般的な豚よりも一～二ヵ月も長く飼育される。これにより、肉を食べた際には食感が柔らかく、脂身が溶け出し甘みを感じることがネーミングの由来にもなっている。二〇一三年時点での年間出荷数は五〇〇〇頭程度と規模は小さいが、品質を維持しながら生産規模を少しずつ拡大することも目指されている。

四国カルストでのんびり放牧される牛たち

もう一つ、年間出荷数は数千頭ほどとやはり規模は小さいが特徴的な銘柄豚として、瀬戸内海に浮かぶ岩城島《いわぎじま》で生産されている「レモンポーク」も紹介しておこう。岩城島ではレモン栽培が盛んで、島内の加工施設ではレモンを用いた様々な特産品が生産・販売されている。レモンポーク生産では、この際に発生したレモンの絞りかすを飼料の原材料として活用している。さらに豚の飼育で発生した排せつ物を有機肥料とし、今度はそれをレモンをはじめとする島内の柑橘や野菜生産に活用している。こうした島内での循環型農業が実現されることで、島の農業の活力が維持され、雇用の場が生まれ、美味しい豚肉が生産される仕組みが成り立っている。

一方、養豚に比べると規模はかなり小さいが、特徴的な牛の飼育方法もみられる。愛媛県と高知県の県境に広がり、標高一〇〇〇メートルを超える四国カルストは日本三大カルストにも数えられるが、そこでは牛の放牧風景を見ることができる。カルスト地形を織りなす白い石灰岩の隣で、黒い牛の群れが歩き回るコントラストは、なかなかの見ものである。この地域では酪農も盛んで、西予市旧野村町には観光牧場も複数存在する。数年前の夏休み、家族連れで訪れた四国カルストは、一面の青空でありながら吹く風は夏とは思えぬ爽やかさ、緑と白に彩られた大地をゆっくりと歩く牛たち、そして美味しそうにソフトクリームにかぶりつく我が子の姿、今も良い思い出である。

今日、私たちは毎日当たり前のように肉をはじめとする畜産物を食べている。その一方で、諸々の要因からその大元となる家畜の姿を見ることはほとんどない。ここでは愛媛県の畜産について紹介したが、これを機に自分自身の住む地域ではどこでどんな畜産が盛んなのか、少しでも関心を持ってもらえれば、教育・研究に携わる身として幸いである。

「水産養殖王国えひめ」の底力
――日本漁業の復活はここから始まる！

――若林良和

はじめに

マダイ、シマアジ、ブリ類、そして、タチウオ、ウルメイワシ、エビ類。これらは愛媛県を代表する魚介類である。というのも、愛媛県の漁業は、それらの生産量や生産額で全国のトップクラスにあるからだ。『水産統計』（平成二八・二九年）によると、愛媛県は、漁業生産量が全国八位（一五・一万トン）で、漁業生産額に至っては全国三位（九一三億円）にランクされ、全国屈指の水産県である。そのうち、「つくり育てる漁業」と呼ばれる海面養殖業に限れば、生産量こそ全国七位（六・九万トン）だが、生産額は六五五億円と全国一位を誇っている。特に、冒頭に記したマダイとシマアジの養殖は全国一位、ブリ類の養殖も全国二位を堅持している。そのほか、カンパチやクロマグロ、シマアジ、ヒラメなど二〇種類以上の養殖魚が育てられている。まさに、愛媛県は、水産養殖の優位と豊かさを裏付けられ、「水産養殖王国えひめ」と称することができよう。

ただ、愛媛県の養殖業も、生産量や生産額は減少傾向にある。とりわけ、宇和海に面する南予地域（愛媛県南部）の地域漁業を取り巻く環境は、燃油や魚粉の高騰、赤潮の発生、魚価の低迷により悪化し、それに伴って後継者など漁業者の減少と高齢化が進行している。

こうした厳しい現況下、愛媛県の養殖業は果敢な挑戦を試みている。この奮闘は多方面に及ぶが、ここでは、地域の特性を活かした水産商品の開発に注目する。とりわけ、愛媛県産の養殖魚ブランドである「愛育フィッシュ」の具体的な事例を紹介し、日本漁業の復活の端緒を探ってみたい。

1　魚類養殖の概要

愛媛県の海面養殖は、愛媛県の南部にある宇和海で昭和三六年に開始された。当時、マイワシが不漁続きであったために、香川県で成功し高い収益性をあげていたハマチ養殖が着目された。さらに、九州西南部でマダイの単独養殖技術の確立を機に、マダイ養殖が昭和四四年に導入された。その後、愛媛県の養殖生産量において、昭和五〇年に養殖ハマチが、平成二年に養殖マダイがそれぞれ日本一となり、この二つの魚種は養殖魚の主力に成長した。この前後に、トラフグやマハタなどの数多くの魚種が養殖されるようになった。

写真1　宇和海（宇和島市下波）に拡がる養殖生簀（提供：宇和島市）

宇和海はリアス式海岸で大小の穏やかな入江や湾があり、養殖の環境に最適である。水深三〇～五〇ｍに生簀が設置された養殖場では、黒潮の分岐流が流れ込んでいる。その勢力が強いと、海水の交換が速まり、透明度二〇ｍ以上と水質保全に大きく貢献している。また、冬期の最低水温は一三℃を下回ることなく、適温の環境にある（写真1）。

養殖場は沖合一㎞以内の共同漁業権内に設定された特定区画漁業権のもとにある。漁船漁業や真珠・真珠母貝養殖と調整しつつ、計画的に魚類養殖が行われている。昭和四〇年代に、過密養殖や過剰投餌で魚病や赤潮が発生し漁場環境は著しく悪化することになった。それで、魚病の細菌類は人体に全く影響を与えないものの、養殖魚のイメージ低下が養殖経営に打撃を与えたのである。赤潮によるへい死は、毒性でなく、高密度のプランクトンによる酸欠で窒息死するため、餌止めや、生簀の移動の対策がとられる。愛媛県では、赤潮発生の予測精度を高めるべく、沿岸域の水質や底質、プランクトンなどの環境モニタリングを進めている。現在では、海の自浄力、漁場の収容力を超えない生産体制が確立されつつある。

2　愛媛県産の養殖魚ブランド「愛育フィッシュ」

(1)「愛育フィッシュ」の目的

現在の養殖魚は、養殖技術の持続的な進歩、漁業者の不断の努力により、天然魚と遜色がなくなりつつあるといわれる。そして、餌料の制御で、脂肪が乗るとともに天然魚に出せない味も楽しめる上、一年を通して養殖魚の安定供給が可能になった。こうした養殖魚の良さを広く一般の方々に理解してもらい、ネガティブなイメージを払拭するために、愛媛県では、平成二四年三月に愛媛県産の優れた養殖魚を「愛育フィッシュ」と命名し普及することにした。これは、愛でて（かわいがり手塩にかけて）育てる「愛育」に愛媛の「愛」をかけて、「愛媛で愛情込めて育てた魚」という意味であり、愛媛県産の養殖魚を幅広く多数の人々に食べてほしいという思いが込められている。同時に、普及推進のプロジェクトが立ち上げられ、「愛育フィッシュ」のロゴ制定をはじめ、漁業者や水産会社、行政、大学などが一体となってプロモーション活動を展開している（写真2）。

(2)「愛育フィッシュ」としての「みかんフィッシュ」

愛媛県では、餌料や出荷方法の生産管理基準を設けて漁業者オリジナルのブランド魚が多く出荷されている。養殖魚の品質向上は顕著で、愛媛県のブランド魚の数は全国一を誇っている。脂肪吸収の良い養殖ブリに数多くのブランド魚があり、養殖マダイにいたっては

写真2　「愛育フィッシュ」のロゴ
（資料：愛媛県）

三〇あまりのブランド魚がある。

それらのなかで際立ったものは「愛育フィッシュ」の一つの「みかんフィッシュ」である。これは餌料に愛媛県特産品のみかんを混ぜ込んだ「フルーツフィッシュ」であり、大手の回転寿司や居酒屋のチェーン店、大手量販店での販売実績を持っている。みかんの皮には、効酸化作用が強いビタミンやミネラルが豊富に含まれることから、変色や魚臭さを抑制できるだけでなく、みかんの香りがほんのりと感じられる。平成二五年の「みかんブリ」に続いて、柑橘搾汁液から抽出したオイルを添加した「みかんダイ」も生産され、さらに、ヒラメやマハタも独自の技法で付加価値をつけて販路が拡大されている。

(3)「愛育フィッシュ」のこだわり

安心・安全で、かつ、良質で美味しい愛媛県産の養殖魚「愛育フィッシュ」は、多様な創意工夫と徹底したこだわりがある。ここでは、餌料と魚病、生産体制、流通販売の四点からみておきたい。

まず、餌料の開発である。以前に生餌の過剰給餌で問題視された漁場汚染は、現在、固形餌料(MPモイストペレット:水分を含んだ餌料、DPドライペレット:乾燥させた餌料)の開発で、大幅に低減している。この餌料は栄養バランスを維持し、病原菌の繁殖を抑制できるので、健康で美味な養殖魚がつくれる。固形餌料の原料はイカナゴやイワシ類など安価な多獲性魚を粉末にした魚粉であり、魚種やブランドによって特色ある餌料の技術開発が進んでいる。最近では、消化の吸収性を高めたEP(エクストルーダーペレット)が重宝されている。水産資源の保護、漁場環境の保全、魚の健康、餌料のコストカットに配慮した餌料が普及し、さらに、愛媛県では、養殖マダイ用に昆虫ミールの実用化も試みられている。

次に、魚病の対策である。健康管理のための魚病対策は近年、ワクチンの開発が進んで治療から予防へ変化している。魚病発生後の抗生物質による治療と比べて、事前のワクチン接種は残留の心配がなく、安全で美味しい養殖魚が生産できる。ワクチンの普及は歩留まりの向上や生産コストの削減、計画的な生産につながり、養殖経営の安定化に貢献している。

それから、生産体制の確立である。市場変動や環境災害などで収益上のリスクを是正するには、新たな養殖魚種の開発、盤石な生産~流通~販売体制の確保が必要である。その根幹には活力と競争力を持った漁業者が不可欠であるために、認定漁業士を育成する制度が設置された。四五歳未満の意欲ある養殖業後継者に一年間にわたる養成講座が実施された。その修了者らが平成二〇年に愛媛県認定漁業士協同組合を設立した。洗練された生産技術を持つメンバーは相互に連携をとりながら、安全で高品質な養殖魚を消費者に提供し続けている。

最後に、流通販売の対応である。養殖魚の流通に求められるのは、鮮度を保ちながら美味しい魚を迅速に消費者へ届けることである。「愛育フィッシュ」は、トレーサービリティ(漁業者による稚魚から出荷までの生産履歴と開示歴の確保)を導入している。それで、安心・安全な養殖魚が消費者に提供されており、生産性の向上にも役立っている。また、鮮度保持においては、氷粒子と塩水などを混ぜたシャーベット状の氷が開発され、その効果がみられる。それから、販売促進では、養殖魚の新たなブランド価値を創出し、国内の大手水産会社や大手飲食チェーンとの取引拡大に加えて、世界的なWASYOKU（和食）志向に呼応して海外での販路拡大も取り組まれている。

3　「愛育フィッシュ」の紹介

(1)マダイ

日本の魚食文化で「ハレの日」に欠かせないマダイは、魚の王様とされる。江戸期に「鯛奉行」の置かれた今治藩では干し鯛などが将軍家の献上品になったくらいで、愛媛県のマダイは有名である。現在、全国のマダイ流通量の約八割は養殖魚であり、そのうち、愛媛県の養殖マダイは第一位で全国シェアの半分以上を占めている。養殖マダイは、出荷前の生簀に日焼け対策用のネットを張るのが一般的であるが、水深四〇～五〇mに生簀を沈めて飼育することもある。養殖マダイは、高品質の人工種苗生産で持続的な完全養殖が早くに確立され、出荷サイズ（一kg以上）の成長期間を一年半にまで半減できたために、生産効率も上がった。

愛媛県では、マダイが「県の魚」に指定され、ブランド化に注力している。「本当にうまい養殖真鯛をつくろう」を合言葉に、ネオメイトが結成された。これは独自の養殖ノウハウと堅実な生産ポリシーを持つ漁業者が各漁協の枠を越えて集結した団体である。彼らが育成した高品質の養殖マダイ「愛鯛」は、「愛育フィッシュ」の代表格であり、愛媛県の「愛あるブランド」にも認定されている。まず、餌料がビタミンやミネラル群を独自の

写真3　養殖マダイ「愛鯛」(資料：愛媛県)

バランスで配合され、「愛鯛」は身のしまりが良く独自の歯ごたえを持ち、適度な油分を持っている。次に、鮮度落ちの原因とされる過酸化物質が通常の三割弱カットされて、血合いの変色も少なく長期の鮮度保持が可能である。それから、透明度と生産力の高い海域で、従来の一割ほど少ない尾数で飼育されているため、ストレスが軽く、投薬を抑えられている。また、「愛鯛」の生簀周辺では、より良い環境保全のために、コンブも育成中である。さらに、厳格な生産管理基準で育成され、その記録日誌は愛媛県漁業協同組合に提出されてインターネットで公開されている。それで、「愛鯛」は関西をはじめとするデパートなどで高い評価を得たのである（写真3）。

（2）ブリ類

出世魚の代表例であるブリ類のブランドも愛媛県内に数多くあるが、「戸島一番ブリ」が有名である。愛媛県宇和島市の西方約二〇km沖にある戸島の周辺海域は水深約六〇mで潮流も絶え間なく速く流れ、豊富な栄養塩が海底から湧き上がってくる。そこで育てられたブリは、運動量が豊富なために、脂肪の乗りが良く、肉質も均一で、尾の付け根まで身が締まっている。そして、ドリップ（魚の体液）も少なく、風味と旨みが長持ちしやすい。戸島では、家族による生簀の管理が原則で、一戸当たりの生簀は八基と定められている。

写真4　養殖ブリ「戸島一番ブリ」（資料：愛媛県）

漁業者組織である魚類養殖協議会は稚魚や餌料、飼育管理、出荷などの協議と決定を行なう。島の誇りでもある「戸島一番ブリ」は、魚病予防用のワクチン接種で抗生物質の投与を最小限に抑えられている。そして、漁網防汚剤を使わない金網生簀で飼育され、EP配合餌料を使用した上で、トレーサービリティが確保されている。その結果、関西のデパートなどで優れた肉質という定評がある（写真4）。

他方、漁業者の女性らによってブリ料理専門店「とじま亭」が宇和島市内に開店したのである。炙りブリ丼やブリカツ鍋、ブリの唐辛子味噌などの新メニューも開発された。これは地産地消を前提に効果的なPR活動につながり、この店舗がアンテナショップ的な役割を果たしている。このように、漁業者とその家族、そして、島の人々が一丸となって、生産から販売にわたって養殖ブリの付加価値づくりを推進している。

(3)マハタ

愛媛県の養殖魚はマダイとブリ類で全体の九割以上を占め、経営的なリスクの分散を目的に、新養殖魚種の開発が推進されている。前述した愛媛県認定漁業士協同組合のメンバーは愛媛県などと連携して、平成一四年に人工種苗開発に成功したマハタ養殖を始めた。

一二月から三月に旬を迎えるマハタは、独特の歯ごたえと上品な甘さを併せ持つ「幻の高級魚」だが、天然魚が限られるために知名度が低い。愛媛県水産研究センターで生産された人工種苗は、出荷まで一貫して飼育されている。新たに共同開発されたマハタ専用の餌料は、消化吸収が良くて栄養価も高く、みかんパウダーを混ぜ込むことで、臭みを抑え、免疫機能を高められる。くせのない白身の養殖マハタは、和洋中など幅広い料理に利用でき、加熱しても身崩れしにくく鍋物にも適している。養殖マハタはコラーゲンを豊富に含むことから、美容効果のほか、関節炎や骨粗しょう症の改善効果もある。

宇和島市内にある「宇和海亭　真ハタ家」は養殖マハタのアンテナショップ的な店舗である。これも、地産地消を前提に、漁業者による生産から販売までの付加価値づくりをねらって、効果的なＰＲ活動が試みられている（写真５）。

（４）クロマグロ

愛媛県では、さらにクロマグロ養殖が平成一七年に着手された。高級魚のクロマグロも出世魚であり、関西地方では、シンマエ→ヨコワ→コビン→マグロと呼称が変わる。クロマグロ養殖は天然ヨコワを二～三年間かけて六〇kg～一〇〇kgに育成し出荷している。人工種苗の開発に成功したが、現在も天然種苗に依存しており安定供給が課題である。種苗の捕獲は資源保護のために、時期と海域を制限している。

ヨコワは神経質で、パニックを起こして生簀に追突死することが多く、安定した食餌まで二週間から数か月を要し、馴致《じゅんち》（餌付け）が必要となる。クロマグロ養殖は環境とコストへの配慮が不可欠である。広い生簀が求められ、生簀内の潮通し、大量給餌による食べ残しに注意する必要がある。

写真５　宇和海亭　真ハタ家（撮影：筆者）

（5）スマ

愛媛県では、養殖経営の健全化をはじめ養殖業の発展のために、より一層の新養殖魚種の開発が急務とされ、その一環でスマの技術開発が進められている。愛媛県産の養殖スマの総称である「媛スマ」は、「愛媛育ちのまるごとトロ」をキャッチフレーズに普及を図っている。そのトップブランドの「伊予の媛貴海（ひめたかみ）」は体重三kg以上、脂肪含有率が平均一五％以上の養殖スマである。マグロやカツオの仲間であるスマは、成長すると全長一m・体重一〇kgに達し、愛南町では「オボソ」と呼ばれる。天然スマもモチモチ感があって美味とされるが、「伊予の媛貴海」はクロマグロに似た味となり、全身トロで、臭みがなく細やかな脂のりで、なめらかで柔らかい食感が特徴で、大きな期待が持たれている（写真6）。

写真6　養殖スマ「伊予の媛貴海」（撮影：筆者）

完全養殖の成功後も、産学官の連携で様々な開発と実験が進められている。親魚育成と早期採卵技術開発は愛媛大学南予水産研究センターが、種苗生産の実施を愛媛県水産研究センターが、それぞれ担当し、愛南漁協が実証実験を重ねて出荷にこぎつけた。成長適温の高いスマは、愛南海域でしか養殖できないために、宇和海全域で養殖できる種苗開発が課題である。今後、養殖スマの増産が見込めることから、愛媛県や愛南町、愛媛大学南予水産研究センター、愛南漁協や漁業者で構成される「媛スマ普及促進協議会」は県内外のスーパーや百貨店に加えて、海外の販売促進に取り組んでいる。スマ養殖は、単に生産技術開発だけでなく流通販売も含めて、産学官連携による多面的な協業体制で推進されている。

おわりに

養殖魚の生産技術が格段に進歩し、また、漁業者による不断の創意工夫や努力によって、愛媛県の養殖業は飛躍的に発展してきた。現在の養殖魚は、天然魚に遜色ないレベルに達するとともに、餌料の制御で、天然魚には出せない独自の味も楽しめ、一年じゅう脂肪の乗った状態で安定供給ができるようになったのである。その代表的なものが愛媛県産の養殖魚ブランド「愛育フィッシュ」である。これらの養殖魚は愛媛県という地域の特性を活かして開発された賜物であり、その普及推進において成果が生まれつつある。

こうした養殖魚の持つ魅力や強みは、今後も広く国内外に周知されて積極的に認知度を高められるべきであろう。衰退傾向にある日本漁業の復活には、「水産養殖王国えひめ」が底力を発揮することが不可欠である。それには、オール愛媛（愛媛県の漁業者や水産会社、行政、大学、金融、住民など地域ぐるみ）による価値の共創が求められる。たとえば、7つの「ぎょしょく」から、愛媛県産の養殖魚に関する価値を見直したり、新たな価値を創生したりしてプロモーション活動を展開していく必要がある。さらに、将来的には、オール愛媛が主導してオールジャパンへと展開し中長期的な視点から、水産物そのものの価値共創を構築していくべきであろう。

〔参考文献〕
若林良和「愛媛のマダイの魅力を探る」大隈満ら編『ゼミナール 農林水産業が未来を拓く』農文協、一六四頁〜一七八頁、二〇一一年
若林良和「養殖マダイの価値再生 ―商品として、消費から生産〜加工・流通を見直す―」『地域漁業研究』51(3)、一頁〜二〇頁、二〇一二年
若林良和「漁協を中心とする地域ぐるみの水産振興 ―愛媛県愛南町の取り組みから―」『漁業と漁協』600・51(2)、八頁〜一一頁、二〇一三年
若林良和「えひめの魚を「ぎょしょく」で探る ―マダイとカツオのブランド化に向けた取り組み―」『文化愛媛』81、三〇頁〜三三頁、二〇一八年

column

「ぎょしょく教育」で、地域の水産業を元気に！

若林良和

7つの「ぎょしょく」とその実践

現代日本の食をめぐる環境をみると、輸入水産物の増大、生産と消費（漁と食）の乖離《かいり》、食生活の欧米化、若年層の「魚離れ」が顕著になっている。私たちは、従来から取り組まれている魚食普及の更なる推進、食育基本法にもとづく食育活動の実践を併せて効果的に展開する必要があると考えた。そこで、新たに提唱し実践しているのが「ぎょしょく教育」である。

これは社会科学的なアプローチによる総合的な水産版食育である。その視点として、①地域の特性を踏まえ、その水産業や漁村地域の生活文化を活かすこと、②魚食普及や栄養指導を踏まえ、漁と食の再接近を図ること、③社会学や経済学の立場からフードシステム（魚の生産から加工、流通、販売、消費までのプロセス）として包括的に把握することの3つがあげられる。

「ぎょしょく」とひらがな表記することによって、皆さんに知られている「魚食」だけでなく、幅広い内容を持たせることができる。具体的には、7つの

①	魚触	魚に直接、触れる体験学習。調理実習
↓		
②	魚色	魚の種類や栄養など特色の学習
↓		
③	魚職	魚の生産や加工、流通、販売など職業全般に関する学習（④との関連で、「とる漁業」＝漁船漁業の学習）
↓		
④	魚殖	養殖魚の生産や加工、流通、販売など職業全般に関する学習（③との関連で、「そだてる漁業」＝養殖業の学習）
↓		
⑤	魚飾	飾り魚に示される、伝統的な魚文化の学習（郷土料理や地域の食習慣など）に関する学習
↓		
⑥	魚植	漁民の森づくりなど植林活動に代表される、魚をめぐる環境学習
↓		
⑦	魚食	魚の試食。魚の味を知る学習

図1　7つの「ぎょしょく」（「ぎょしょく教育」のコンセプト）

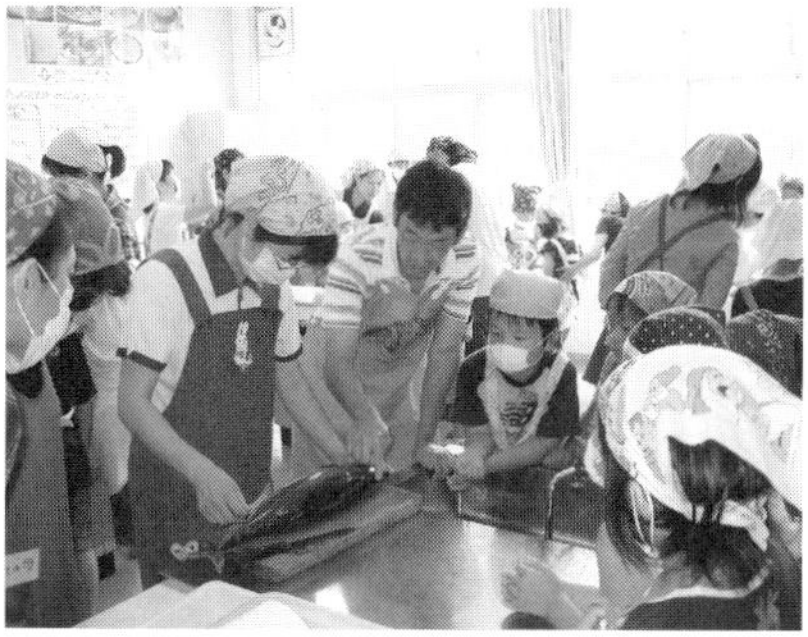

写真1　「魚触」の授業（カツオの三枚おろし）

写真2　「魚触」の授業（カツオのたたき）

「ぎょしょく」、つまり、「魚触」〜「魚色」〜「魚職」〜「魚殖」〜「魚飾」〜「魚植」〜「魚食」のプロセスを通して、魚に関する諸事象が体系的で、かつ精緻に把握できるわけである（図1）。

愛媛大学「ぎょしょく教育」研究推進プロジェクトチーム（代表者は筆者）の提案に対して、最初に愛南町が二〇〇五（平成一七）年に対応し取り組みに着手した。愛南町は、「日本漁業の縮図」と称されるように、タイやブリ類などの魚類や真珠・真珠母貝の海面養殖業、カツオ一本釣りや旋網などの漁船漁業、それらに関連する水産加工業を基幹産業としている。

愛南町で実施している授業の場合、「町の魚」のカツオを利用することが多い。最初に、地元の深浦漁港に水揚げされるカツオについて、座学で「魚色」や「魚職」、「魚飾」、「魚植」などを学ぶ。次に、「魚触」として、カツオの三枚おろしやワラ焼きのタタキを体験する（写真1、写真2）。最後に、カツオのタタキなど郷土料理を試食するという「魚食」に至る。このように、6つの「ぎょしょく」を通して地域の魚が丸ごと学べる内容になっている。

「ぎょしょく教育」の評価と効果

「ぎょしょく教育」の授業は、保護者と子供で一緒に実施するのが効果的である。保護者には「魚食」機会拡大の契機となっている。子供には「魚食」の強い欲求と「魚触」への積極的な評価がみられ、五感重視の体験学習は高い教育効果を生んでいる。

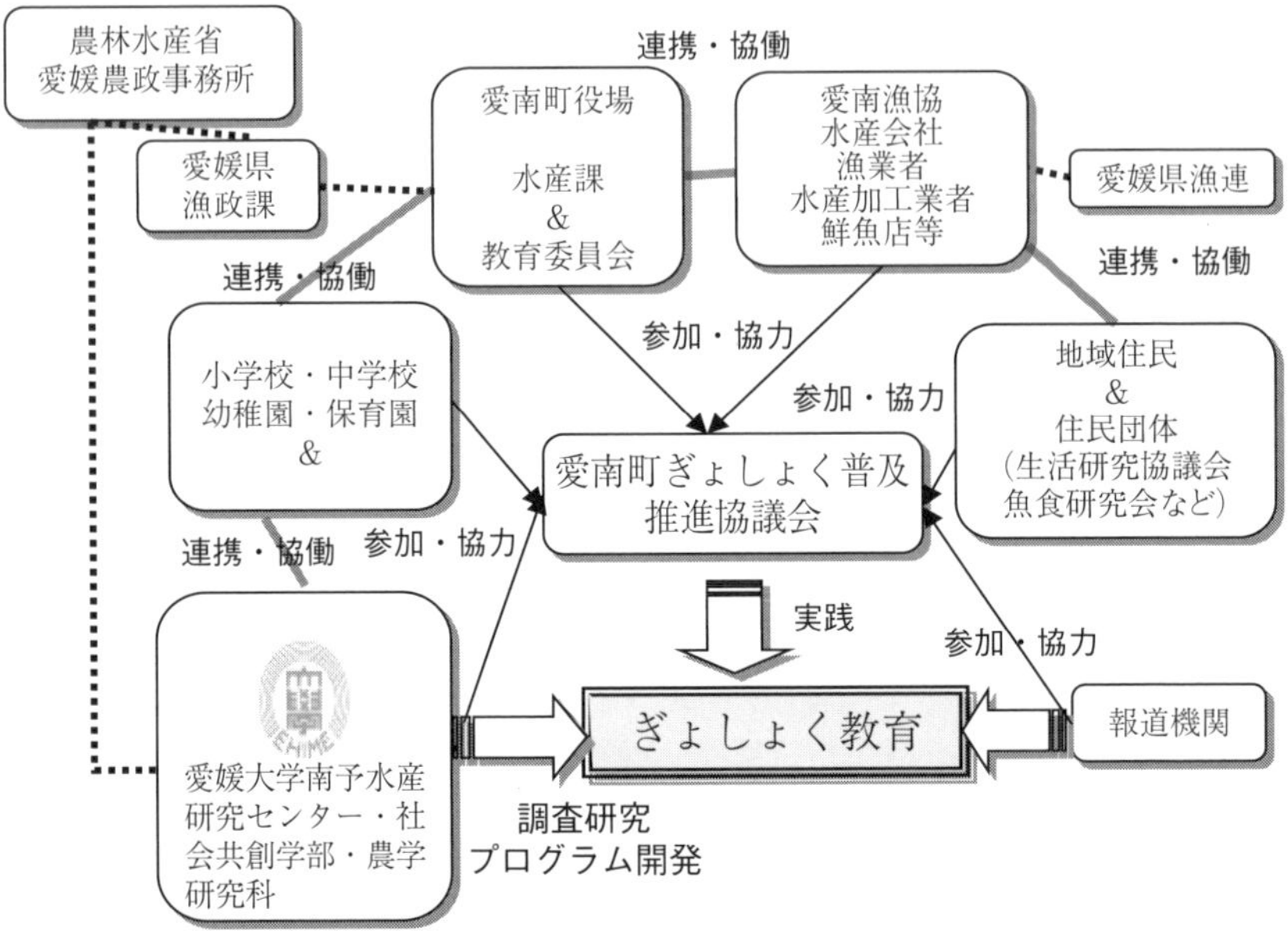

図2　第8の「ぎょしょく」：「魚織」(愛南町の場合)

また、地域で持続可能な取り組みとするために、農水省など様々な助成事業で、副読本や実践マニュアル、カードゲームなどの「ぎょしょく教育」ツールの開発が行われた。

この実践と成果は、数多くの多様なメディアで紹介され、『水産白書』に二度も掲載されたほか、「地域に根ざした食育コンクール2006」の優秀賞、大日本水産会の魚食普及表彰を受け、社会的な評価も高まった。この「ぎょしょく教育」の考え方と取り組みは、愛南町のほか、愛媛県内の宇和島市や八幡浜市、今治市、さらには、福島県や東京都、新潟県、石川県、島根県、鹿児島県、沖縄県などに拡がっている。

こうした小学生など受講生目線の座学や実習などの実践を通して、地域の内外で新たな交流〜連携〜協働が生まれた。

その結果、教育的な効果として、地域の水産業や魚介類をはじめ関連する祭礼や景観も含めた地域資源の学びを通して、地域の魅力や良さ、強みといった価値を認識できる。そして、地域への愛着や誇り、地域に対するアイデンティティが生まれる契機となり、地域に対する理解を深めることが可能となる。「ぎょしょく教育」は「地域理解教育」と言い換えられ、地域の社会関係そのものを豊かにして、水産業と地域社会を紡ぐことができるだろう。

他方、産業的な効果として、「ぎょしょく教育」は地域ブランド確立に向けた重要なコンテンツとツールとなることが期待されている。地域水産物のブランド化において、「ぎょしょく教育」は、「ぎょしょく教育発祥の地・愛南」を合言葉に、「地域理解教育」と連動しながら、ＰＲ活動や販売促進の手段になっている。そして、それにとどまらず、地域そのもののブランド化につながり、地域の魅力づくりに大きな役割を果たすことができるだろう。

「ぎょしょく教育」と地域社会

「ぎょしょく教育」の実践は、地域に存在する様々な組織の支援と協力、地域の連携があってこそ、完遂できるだろう。それは地域の協働ネットワークとその組織であり、第8の「ぎょしょく」としての「魚織」は極めて重要だということになる。具体的には、産（漁協や漁業者、水産会社、鮮魚店など水産業界）、学（大学や小中高等学校など教育機関）、官（市町村など自治体）の連携と協働が不可欠である（図2）。

「ぎょしょく教育」は、地域ぐるみでその目的や方法が共有されて、地域の食をめぐる社会関係の再構築の契機となり、地域における教育力の向上や産業振興の布石につなげられる。「魚織」が地域社会を動かす求心力の一翼となり、「ぎょしょく教育」は質的な向上と面的な拡がりを持って、地域の価値を再認識し、共創していく基盤になるだろう。

〔参考文献〕

若林良和編著『ぎょしょく教育』筑波書房、一六二頁、二〇〇八年
若林良和「地域協働をベースにした水産版食育「ぎょしょく教育」の実践と展望」『農業と経済』77（2）、一一四頁〜一一九頁、二〇一一年
若林良和・阿部覚「「ぎょしょく教育」活動の軌跡と新展開」『水産振興』612〈52（12）〉、一一三頁、二〇一八年
若林良和「地域水産物を利用した「ぎょしょく教育」のコンテンツと地域的意義」愛媛大学・松山大学愛媛県南予地域共同研究プロジェクトチーム「チームびやびや」『愛媛学を拓く』創風社出版、一一頁〜三四頁、二〇一九年

伝統産業とイノベーション——

鈴木　茂

はじめに——地域産業と伝統産業

特定の地域に集積した産業（これを地域産業と呼ぶ）を大きく分けると、地域の個人や企業を投資主体とし、歴史的に形成された産業（これを地場産業と呼ぶ）と、域外資本が進出あるいは誘致して形成された産業（これを誘致外来型産業と呼ぶ）とがある。前者は個々の経営規模は小さいが、経営の自立性を有し、経営・企画開発・製造・人事・財務・営業等の中枢管理機能が地域に集積しているのに対して、後者は経営規模が大きいが生産に係る特定の機能が集積するにとどまり、地域企業が下請け企業として編成され、いわゆる「企業城下町」が形成される場合が少なくない。宮本憲一[(1)]は、地域企業を中心とする発展を内

（1）宮本憲一『現代の都市と農村』日本放送出版協会、一九八二年、二四三～二四五頁、同『環境経済学』岩波書店、一九八九年、第五章

発型発展、域外企業や工場の誘致に依存した発展を誘致外来型発展と呼んだ。地域産業が内発型に集積した地域には、特定産業を中心に、原材料問屋、部品等の関連加工業、機械メーカー、デザイン・印刷、運輸物流、公設試験研究機関等の支援機関等が集積し、いわゆる「産業クラスター」[2]の形成がみられる。

地場産業の起源は衣食住に係る地域ニーズに対応して地域資源を活用して創業したものが多く、味噌・醤油・酒、魚肉練り製品等の各種食品加工、紡績・縫製、手漉き和紙、陶磁器・瓦・木工・漆器等がその例であり、歴史的に蓄積されてきた手仕事や職人の技によるものが多い。地場産業は、消費者ニーズの変化、全国企業による安価な量産品や輸入品等の市場における競争環境の変化、合成繊維・合成樹脂等の新素材の登場によって消滅あるいは停滞しているものと、機械技術や新素材の導入による新製品開発や全国市場さらには海外市場に販路を拡大して成長しているものがある。

地場産業を長く研究してきた下平《しもひら》尾《お》勲《いさお》は、「地場産業は、地域に住んでいる人達の衣食住という物質的生活の充足の必要性を母とし、民衆の生活の知恵・職人の工芸へと高めようとする熟練技術を父として形成された。それは、地域的な系譜から形態的に区別すると、原料資源に立脚する農村工業に属するものと、市場に規定された都市工業に属するものとに大別される。また、それを内容からみると、一〇〇年以上という歴史的に古い手工業技術を伝承し、力強い沈静、卓越した技巧、職人の高い精神的自覚を基礎としている伝統的地場産業と、市場の急激な拡大を背景に地域の資源や技術の展開ないしは外部からそれを導入することによって発展し、成長してきた近代的地場産業」[3]と区別できる、と指摘している。つまり、地場産業は地域資源を活用し、職人の手仕事をベースに日用雑貨を生産

(2) M. E. ポーター『競争戦略論Ⅱ』(竹内弘高訳)、ダイヤモンド社、一九七九年、七〇、八六頁

(3) 下平尾勲『現代地場産業論』新評論、一九八五年、五頁

する伝統的な地場産業と、新しい素材や市場を開拓して成長している近代的地場産業に分けることができる。伝統的地場産業は一般に伝統産業と称されている。

1　伝統的工芸品と伝統的特産品

一九七四年に制定された「伝産法」（「伝統的工芸品産業の振興に関する法律」）は、「伝統的工芸品」の認定基準として次の五点を挙げている。①主として日常生活の用に供されるものであること、②その製造過程の主要部分が手工業的であること、③伝統的な技術又は技法により製造されるものであること、④伝統的に使用されてきた原材料が主たる原材料として用いられ、製造されるものであること、⑤一定の地域において少なくない数の者がその製造を行い、又はその製造に従事していること、である。同法に基づいて経済産業大臣が認定したものが伝産法上の伝統産業であり、「伝統的工芸品」である。二〇一八年一一月七日現在、国が認定した伝統的工芸品は二三二にのぼる。都道府県別にみると、認定件数が多いのは東京・京都（各一七）、新潟（一六）、愛知（一四）、石川（一〇）である。愛媛県では砥部焼と大洲和紙が認定されている。

ところで、国の伝統的工芸品に認定されていないが、伝統的な工芸品が全国各地域に数多く存在する。都道府県が独自に認定している伝統的工芸品あるいは伝統的特産品がそれである。伝統産業振興に力を入れている石川県は三八種類も認定し、県立伝統工芸館を建設して展示即売や人材養成等、伝統産業の振興に取り組んでいる。愛媛県は「県内で長い年月を越えて受け継がれた伝統的な技術・技法により製造され、えひめの風土の中で育まれてきた郷土色豊かな伝統性のある工芸品・民芸品」を「伝統的特産品」として二八種を認定している（表1）。

下平尾が指摘するように地場産業は、一方では人々の生活意識や生活様式の変化、新しい素材やそれを活用した生活用品の登場等の市場における競争環境の変化の中で衰退した

表1　愛媛県の伝統的特産品

番号	指定品目	製造業者（組合）
1	水引・水引製品	伊予水引金封協同組合
2	伊予手すき和紙	伊予手すき和紙振興会
3	太鼓台刺繍飾り幕	高橋直孝
4	二六焼	廃業
5	伊予簀	井原圭子
6	西条だんじり彫刻	石水親司
7	周桑すき紙	東予手すき和紙振興会
8	桜井漆器	桜井漆器協同組合
9	菊間瓦	菊間町窯業協同組合
10	伊予かすり	伊予織物工業協同組合
11	伊予竹工芸品	松山竹製品協同組合
12	姫だるま	NPO法人姫だるまプロジェクト
13	姫てまり	田村美幸
14	和釘	白鷹興光
15	砥部焼	砥部焼協同組合
16	和ろうそく	大森和ろうそく屋
17	和傘	内子町役場ビジターセンター
18	棕櫚細工	長生民芸店
19	大洲和紙	大洲手漉和紙協同組合
20	桐下駄	宮部木履工場
21	高張提灯	平地屋傘提灯店
22	下駄	有限会社長浜木履工場
23	八幡浜かまぼこ	八幡浜蒲鉾協同組合
24	筒描染製品	地細工紺屋若松旗店
25	伊予生糸	西予市野村シルク博物館
26	宇和島かまぼこ	宇和島蒲鉾協同組合
27	節句鯉幟	合資会社黒田旗幟店
28	宇和島牛鬼張り子	よしを民芸店

（出所）愛媛県経済労働部資料より作成。

ものと、他方では新しい技術・素材や機械を導入してイノベーションを繰り返し、新しい成長軌道に乗ったものとがある。愛媛県の地場産業の中で、既に衰退あるいはごく限定された地域で存続しているものとして、木蝋《もくろう》（内子町）、塩業（瀬戸内沿岸）、綿工業、養蚕・生糸、手漉き和紙等、厳しい経営環境にあるものとして砥部焼、菊間瓦、桜井漆器、水引、タオル、味噌・醤油・酒造業等がある。他方、新素材や新しい製造機械の導入によって持続的なイノベーション過程にあるのが紙パルプ産業や造船業であり、全国トップの産地を形成している。以下では、愛媛県の代表的な地域産業として砥部焼、今治タオル、紙パルプ産業を取り上げる。

2　砥部焼と手仕事

松山市に隣接する砥部町《とべちょう》（二〇一九年四月現在、町人口二万一一一一人）に、伝統的な陶磁器として広く知られる砥部焼産業が集積している。砥部は、二〇一九年現在、九〇窯（砥部焼協同組合七〇窯、その他約二〇窯）程度の小さな焼物産地である。

この地域に砥部焼産業が誕生した大きな要因の第一は、良質の陶石が豊富に賦存していたことである。この地域は「砥部」の地名からもわかるように砥石の産地であった。第二の要因は、大洲《おおず》藩の殖産興業政策である。大洲藩は小藩（六万石）であり、藩財政の立て直しのために手漉き和紙（旧五十崎町）や木蝋産業（旧内子町）を振興し、特産品の積み出し港として長浜港（大洲市長浜）に加えて新たに郡中港（伊予市）を建設して物流体制を整備した。第九代藩主加藤泰候《やすとき》は、砥石屑が磁器の原料になるという情報を得、杉野丈助《じょうすけ》に磁器の開発を命じた。杉野は三年の試行錯誤の末、一七七七（安永六）年に焼成に成功した。第三は、柳宗悦《やなぎむねよし》（一八八九〜一九六一）等を中心とする民芸運動家の支援である。戦前、砥部焼は日本資本主義のアジアへの植民地進出とならんで、東南アジアに輸出され、「伊予ボール」と称された。しかし、戦後になると東南アジア市場を失ったこと、瀬戸や有田等の大規模産地が機械化・省力化を進め近代化を図ったのに対して、砥部の窯元の多くは小窯であったため、近代化を進めることができなかった。そのような時、機械化による職人の熟練が解体されることに危機感を募らせていた柳宗悦、浜田庄司（陶芸家、一八九四〜一九七八）、バーナード・リーチ（B.H. Leach、イギリス人の陶芸家、一八八七〜一九七九）等が砥部を訪れ、「手仕事」を評価し、日用雑器を中心とした「用の美」を追求することを提唱し、富本憲吉（一八八六〜一九六三、陶芸家、人間国宝、文化勲章受章）を派遣して産地の復興を支援した。第四に、砥部焼は伝統的なロクロ成型・絵付け等の手仕事を温存しており、一九七六年に通産省（現経済産業省）の伝統的工芸品に認定された（焼き物としては全国六番目）。砥部町はそれに対応して砥部焼伝統産業会館を設置し、砥部焼産業の歴史文化の展示を行うとともに、新作展示即売会を開催して、砥部焼産業の振興を図っている。第五は、国道三三号沿線に砥部焼直売所が開設されたことである。砥部焼の窯元は家族経営を主体とした小窯であり、販売力に制約があった。しかし、手仕事を基本とし、ロクロによる成型と手描きによる絵付けをしているから、一個から生産可能である。試作品を創り、売店でテスト販売が可能になったことである。また、電気窯の登場は小窯の存続を可能にした。第六は、若者や女性グループによる相互研鑽、新製品開発への取り組みである。若手陶工

写真1　砥部焼伝統産業会館（筆者撮影）

のロクロ・絵付け技法の自主的な勉強会「陶和会」による相互研鑽（一九五九〜、会員数約五〇名）、補助労働を担ってきた女性達の作品による「マドンナ展」の開催（一九八八〜）、さらには女性の目線から砥部焼の魅力を発信する「とべりて」（二〇一三年、七名の女性陶工で構成）の活動等、伝統的な砥部焼から若者・女性の感性を活かした新しい焼物が誕生しつつある。砥部焼産業の生産高はピーク時の約二〇億円から最近で一〇数億円程度に減少している。若者や女性の感性から新しい砥部焼が誕生することが期待されている。

3　今治タオルのブランド化

今治市は日本一のタオル産地であり、新しい地域ブランド「Imabari Tawel」の開発による地域産業再生の成功事例として話題を集めている。

今治市（二〇一九年四月現在、市人口一五万九二九〇人）と大阪府泉佐野市（同一〇万七一五人）は、日本における二大タオル産地を形成している。泉佐野市はタオル産業の先発地であるのに対して、今治市はタオル産地としては後発産地であるが、前者が安価な「先晒後染方式」であるのに対して、後者は「先染紋織方式」による高級タオルに特化している。

今治でタオルの生産が開始されるのは明治三〇年代になってからである。タオルは西欧文化であり、タオルの製造技術が日本に伝わるのは明治維新以降である。日本に伝来したタオル文化は、大阪・兵庫・岐阜県等、綿工業の集積地域において吸収され、日本におけるタオル産業の先進地が形成された。今治でタオル産業が導入されることになったのは、一方では、綿工業が集積し、タオル製造の技術的基礎が形成されていたことである。他方では、綿工業の業績は芳しくなく、新たな事業展開の必要性に迫られていたことである。綿織機をタオル織機に活用できること、タオルは舶来品で高付加価値製品であったことから、タオル技術の導入が図られた。最初にタオル製造に挑戦したのは阿部平助《あべへいすけ》（綿替木綿商）であり、一八九四（明治二七）年綿ネル機械を改良して初めてタオルを製造した。

しかし、今治はタオル産地としては後発産地であり、ブランド形成が遅れていたから、市場での評価は低かった。一九三〇年の卸相場は、一ダース当り愛媛県産一・〇〇に対し、大阪府一・二五、兵庫県一・八九、三重県一・七三であった(4)。市場経済は変動するのが常であり、不況になれば今治タオルは厳しい状態に置かれることが予想された。

今治タオルの技術革新に取り組んだのは、愛媛県工業講習所（現愛媛県産業技術研究所繊維産業技術センター）技師の菅原利鑅《すがはらとしはる》(5)であった。菅原はジャガード織機を応用して、糸の段階で染め、紋織する「先染紋織方式」を開発し、今治タオルを高級タオルに変身させることに成功した。その結果、安価な「先晒後染方式」の大阪泉南地域に対して、今治市は高級タオルの産地として発展した。

しかし、今治タオルが「ガチャマン景気(6)」を謳歌できたのはバブル経済が続く八〇年代末までである。タオルは贈答品の定番であった。バブル経済崩壊による贈答品市場の縮小、消費者ニーズの変化、問屋の商品企画力の低下、タオル産業のグローバル化（海外生産の拡大）に直面して、タオル産業は不況に陥ることになった。今治タオル産業最盛期の一九七六年には、タオルメーカーは五〇四社（うち組合員企業五〇〇社）、従業員一万一〇四八人（一九六六年）を数えた。しかし、二〇一九年四月一日現在、タオルメーカーは一〇八

(4) 鈴木茂『産業文化都市の創造』大明堂、一九九八年、一三四頁

(5) 菅原利鑅（一八九一〜一九五八年）。著書に『今治タオル工業発達史』今治タオル工業連合会、一九五三年がある（鈴木（一九九八）、一三四頁）。

(6) 日本の一九五〇年代から見られた繊維産業の好景気を表す言葉。織機がガチャッと織れば万札を獲得できるほど景気が良かったことを表現している。

社（うち組合員企業一〇四社）、従業員二五五二人（同二二五〇人）、いずれもピーク時の五分の一に減少している。[7]とりわけ、今治地域の特徴は問屋依存型であり、製造機能に特化していたことである。問屋からの受注生産に特化し、独自のブランドや販売チャネルを構築していなかった。自社ブランドを構築していたのはわずかに近藤繊維工業㈱であり、その他のタオルメーカー等は、贈答品市場をターゲットに問屋の商品企画力に依存していたから、今治のタオル業界は苦境に追い込まれることになった。[8]

今治地域には、タオル製織、染色、刺繍等の関連産業が集積した典型的なタオル産業クラスターが形成されていたが、業界のグローバル化と市場構造の急激な変化に直面してクラスターは崩壊の危機にある。今治タオルは、高級タオルの産地としての地位を構築したが、企画・デザイン及び販売機能は問屋に依存していたからである。四国タオル工業組合挙げて取り組んだのが今治タオルブランドの構築である。今治タオル（Imabari towel）のブランド化は、組合が、組合単位でブランド化に挑戦したところに特徴がある。佐藤可士和のプロデュースで、白いタオルで、吸湿性（五秒ルール）の高いタオルを開発して、ブランド化に成功した。しかし、二〇一八年一二月現在、今治地区のタオル生産量は一万八五〇トンに留まっている。今治タオルのブランド化が開始される二〇〇七年の生産量（一万五五四六トン）を若干上回っているが、企業数・登録設備台数が減少を続けており、産地再生の途上にある（表2）。

もう一つの新しい動きは、個別企業の中から自社ブランド構築に向けた取り組みが見られることである。一広㈱（創業一九七四年、二〇一九年八月現在資本金八〇〇〇万円、従業員二三〇人）はタオル美術館を建設して小売部門に参入し、「タオル美術館」ブランドを構築し、

（7） 今治タオル工業組合ホームページ（http://itia.or.jp/）

（8） 辻吾一『えひめのタオル八十年史』四国タオル工業組合、一九八二年

表2　今治タオル産業の推移

年	企業数（社）	登録設備（台）	今治生産量（トン）	タオル輸入（トン）	輸入浸透率（%）
1970	333	6,403	28,648	−	−
1975	497	10,007	28,814	4,216	−
1980	481	9,807	37,660	8,513	−
1985	437	10,045	47,583	7,716	−
1990	390	10,732	48,710	16,674	−
1995	284	8,314	40,333	39,529	−
2000	219	6,288	27,309	58,918	57.5
2005	159	4,519	13,643	79,612	76.6
2007	144	4,121	10,546	84,247	80.9
2008	140	3,908	10,276	80,378	80.7
2009	135	3,760	9,381	78,071	81.7
2010	129	3,515	9,851	77,316	81.5
2011	125	3,455	10,014	77,131	81.2
2012	123	3,344	10,020	77,082	81.1
2013	121	3,162	11,146	76,042	79.9
2014	119	3,102	11,298	75,797	79.9
2015	116	3,153	11,439	69,226	78.7
2016	113	3,163	12,036	72,235	78.6
2017	111	3,156	11,468	72,072	79.2
2018	109	3,149	10,850	71,676	79.9

（出所）今治タオル工業組合資料（http://itia.or.jp/data/data08.html）より作成。

写真2　赤ちゃんが食べても安全なオーガニックタオル（写真提供：IKEUCHI ORGANIC）

全国に七九店舗も展開している。[9] また、「未来の豊かな生活のファブリックを創造する」ことを掲げるIKEUCHI ORGANIC（創業一九五三年、二〇一九年八月現在資本金七〇〇〇万円）は、「美しく新しく、そして、夢と環境負荷のないリアリティのあるオーガニックのスタイルをこの世に産む」ことを唄っている。そして、この経営理念を実現するために、三つの行動指針、①最大限の安全と最小限の環境負荷、②すべての人を感じ、考えながらつくる、③エコロジーを考えた精密さを掲げて、国内に東京・京都・福岡と本社に旗艦店を設け、海外では北米・アジア・オセアニアに一五店舗を展開し、世界のオーガニックタオルメーカーとしての新たな道を切り拓いている。[10]

(9) 一広㈱ホームページ（http://www.towel-museum.com/company/ichihiro/最終アクセス二〇一九年一〇月一日）。

(10) IKEUCHI ORGANICホームページ（https://www.ikeuchi.org/最終アクセス二〇一九年一〇月一日）。

4　素材革命と紙パルプ産業のイノベーション

明治・大正期、愛媛県は高知県に次ぐ全国第二位の手漉き和紙の産地であった。伝統的工芸品に認定されている大洲和紙（喜多郡内子町五十崎地区）だけでなく、県内各地で和紙が生産されていた。しかし、多くの手漉き和紙産地は近代化に遅れ、衰退している。ところが、四国中央市（宇摩地区）は後発産地であるが、大正期に機械抄紙技術を導入して発展し、今日では全国一の「紙のまち」として発展している。明治初期に県内トップ産地であった大洲地域には、手漉き和紙事業所が二ヶ所（(有)天神和紙、和紙工房ニシオカ）しか残っていないのと対照的である。

紙パルプ産業は全国各地に集積している。日本における紙パルプ産業の集積の契機は大きく分けると二つある。一つは、手漉き和紙の系譜である。中国から朝鮮半島を経由して紙漉きの技術が日本に伝わったのは西暦六〇〇年頃である。紙は書写体として高付加価値製品であり、三俣《みつまた》・楮《こうぞ》等日本列島に自生する植物を素材として活用しながら技術改良を進め、全国各地に伝播した。もう一つは、機械抄紙技術の系譜である。明治維新後、ヨーロッパで確立した近代的な抄紙機械技術が導入され、大都市圏に立地した後、水と木材資源の豊富な静岡県や北海道に立地した。一九六〇年代、製紙原料として輸入木材チップが中心になると、木材チップからパルプ・製紙一貫工場は原料の搬入や製品の搬出の便に恵まれた臨海工業団地に立地した。この結果、紙パルプ産業は全国各地に集積しているが、木材チップからパルプ・製紙の一貫工場が集積した地域と、多種多用な紙製品加工を行う中小企業が集積した都市近郊地域とに分けることができる（表3）。

　四国中央市（二〇一九年四月現在、市人口八万七〇〇五人）は市町村単位では日本一の紙パルプ産業の集積地であり、二〇一六年現在、事業所数一八三ヶ所　従業員数八二七〇人、工業製品出荷額四九二八億六一四万円（経済センサス二〇一八）にのぼる。同市の紙パルプ産業の特徴は、木材チップからパルプ・製紙の一貫工場と多種多様な紙製品の二次加工を行う中小企業群が集積していることであり、「お札と切手」を除くあらゆる種類の紙製品を生産することができると言われている。また、都道府県別では日本一の集積を誇る静岡県は、低付加価値のトイレットペーパーやティッシュペーパーを主力製品としているのに対して、ここでは新素材である合成繊維を活用し、高付加価値の特殊紙・機能紙にシフトしていることである。

　当該地域は手漉き和紙の産地としては後発産地であり、紙パルプ産業が集積するには条

表3　紙パ産業集積都市の2類型（2016年）

（単位：百万円、％）

類型	都市名	事業所数 (a)	従業員数 (b)	製造品出荷額 (c)	1事業所当り (c)／(a)
多品種加工型	四国中央市	183	8,270	492,806	2,693
	富士市	217	8,467	431,293	1,988
	春日井市	59	2,406	119,539	2,026
	富士宮市	53	2,198	79,566	1,501
	高岡市	28	961	78,531	2,805
	尼崎市	24	1,095	64,618	2,692
	東大阪市	119	2,246	55,066	463
	静岡市	52	1,640	22,132	426
	小　計	735	27,283	1,343,551	1,828
大規模量産型	苫小牧市	7	1,652	176,651	25,236
	石巻市	11	1,004	91,648	8,332
	釧路市	7	733	78,862	11,266
	八戸市	9	982	81,990	9,110
	島田市	18	1,022	77,030	4,279
	岩国市	10	871	72,848	7,285
	米子市	8	808	59,660	7,458
	阿南市	7	855	55,423	7,918
	明石市	7	378	11,477	1,640
	小　計	84	8,305	705,589	8,400
	全　国	6,231	185,907	7,279,150	1,168

（出所）「経済センサス2018」より作成。

件不利地域であった。手漉き和紙の生産が開始されるのは一八世紀半ば頃であるといわれている。また、水・土地資源の貧困、域内市場の狭隘性、大都市圏市場から遠隔地にあること、鉄道・道路等の交通網整備の遅れ、瀬戸内海環境保全法による厳しい排水規制等、紙パルプ産業が集積するには条件不利地域であった。

立地環境に恵まれないにも拘わらず、日本一の紙パルプ産業集積地域として発展した大きな要因の一つは、藩政時代には幕府の天領であり、藩が存在しなかったことである。藩は、一方では様々な支援策を講じたが、同時に「専売制度」を導入して農民を収奪した。専売制度は生産と販売を分離し、農民は紙生産のみに従事させられたから、販売ノウハウを獲得することができなかった。当該地域では生産と販売を一体的に行うことができ、市場や消費者に係る生きた情報を入手し、早くからマーケット・インの経営が行われてきた。第二は、手漉き和紙の産地としては早くから抄紙機械を取り入れたことである。近代的な機械抄紙技術がヨーロッパから日本に導入されるのは明治初期であり、王子製紙等の大企業が設立された。ここでは、丸井製紙㈱が一九一九（大正七）年に抄紙機械を最初に導入し、それが刺激となって産地をあげて機械化・近代化に取り組んだ。多くの手漉き和紙産地が機械化に遅れ、衰退したのと対照的である。第三は、製紙技術の革新や原料調達・販路開拓に貢献した人材の輩出である。技術改良・規格統一による販売促進に取り組んだ薦田《こもだ》篤《とく》平《へい》（一九二三〜九八）、販路開拓に貢献した住治平《すみじへい》（一八三一〜一九一一）、和紙製造技術の改良と叩解機・回転式蒸気煮釜を開発した篠原朔太郎《しのはらさくたろう》（一八六五〜一九五二）等、人材を輩出した。第四は、当地の中小企業三木特種製紙㈱（創立一九四七年、二〇一六年七月現在資本金五〇〇〇万円、従業員一七五人）が、一九五四年にビニロンとレーヨンを原料とした化繊紙（商品名「ミキロン」）を日本で最初に開発したことである。紙は植物や木材等の天然繊維を漉いて作るものという業界の常識を覆すものであり、この地域が得意とする特殊紙・機能紙を活用した多種多様な紙製品の開発の契機となった。「ミキロン」の開発が契機となって、製紙関係中小企業の経営者・技術者、公設試験研究機関及び四国工業試験所の技術者、大学研究者を中心として一九六二年に化繊紙研究会（一九八二年には機能紙研究会に改称、二〇〇三年特定非営利活動法人化）を設立するとともに、同研究会は機能紙の規格化・標準化を図る『機能紙総覧』を発行して業界をリードしている。第五は、全国に四ヶ所しかない公設の紙パルプ産業研究センターである愛媛県紙産業技術センターに加えて、愛媛大学大学院農学研究科製紙特別コース（現　生物環境学バイオマス資源学コース）、同紙産業イノベーションセンター、同社会共創学部産業イノベーション学科製紙特別コース等、紙パルプ産業に係る研究開発・人材育成機能が集積していることである。第六に、当該地域は「未来の紙」といわれるセルロースナノファイバー（cellulose nanofiber, CNF）の研究開発の三大拠点（京都、静岡、愛媛）の一つとして発展しており、CNFを活用した未来型の紙パルプ産業集積拠点として発展しつつあることである。[11] 同市の紙パルプ産業は、下平尾のいう近代的地場産業である。

おわりに

既に述べたように、多くの伝統産業は消費者ニーズや生活様式の変化、近代化・機械化

写真3　愛媛県紙産業技術センター（写真提供：愛媛県紙産業技術センター）

(11)　鈴木茂「紙パルプ産業の地域集積」『松山大学論集』二〇一三年、第二五巻第一号、四国中央市教育委員会『ふるさと宇摩の人々～四国中央市の偉人たち～』二〇〇一年、一六〇～一六九頁。

による量産品や新しい素材を活用した安価な競合品の登場、日本企業のグローバル化と海外で生産された安価な輸入品の増加等に直面して、衰退の危機にある。しかし、近年伝統産業をめぐる新たな再生の動きがみられる。伝統産業を見直す契機の第一は、国際的評価の高まりである。和食がユネスコの「世界文化遺産」に登録され、国際的な和食ブームが広がったことであり、それと連動して日本食に係る伝統的な食品が海外で注目され、輸出が増加していることである。その典型は日本酒であり、旭酒造㈱(12)（山口県岩国市）が売り出した「獺祭《だっさい》」がその典型である。また、日本の伝統的な調味料である醤油が海外で広く受け入れられていることもよく知られている。外国人観光客（インバウンド）の増加は、日本の伝統文化に対する関心を高め、和傘、竹製品、和服、下駄、和紙等が注目を集めている。第二は、第一点と関連するが、伝統的工芸品とアートとの結合である。和紙とアートの結合の例として、結納品が主要な用途であった水引を素材としたアクセサリー・装飾品の開発を挙げることができる。第三は、化学産業等がもたらした新素材の登場が、伝統産業にイノベーションの契機を与えている。その典型が紙パルプ産業であり、植物繊維を漉いて紙を作ることが業界の常識であったが、合成繊維の登場はそれを活用した特殊紙・機能紙を開発して従来の紙製品にないまったく新しい紙製品の開発をもたらしている。とりわけ、重量が鉄の五分の一、強度が鉄の五倍といわれる「未来の紙」セルロースナノファイバー（Cellulose Nano Fiber, CNF）の登場は、紙パルプ産業の新たな展開をもたらしつつある。第四は、グローバル化・ネット化であり、伝統産業の新たな展開が見られる。不織布を素材にした多様な軟包装資材を企画・デザインから製造・販売まで手掛けるみすまる産業㈱(13)は、海外の国際展示場でユーザーと直接対話しつつ、Ｗｅｂサイトを活用して受注

(12) 旭酒造㈱は、一七七〇年創業の蔵元であるが、現社長の桜井博志氏の祖父が一八九二年に経営権を取得し、蔵元の経営に乗り出す。現旭酒造㈱は一九四八年に設立。博志氏は、一九七六年に同社に入社、一九七九年に桜井商事㈱設立後、一九八四年に入社し、「獺祭」を開発して売上高を拡大。二〇一九年現在資本金一〇〇〇万円、年間売上約一〇〇億円（https://www.asahishuzo.ne.jp/最終アクセス二〇一九年一〇月五日）。

(13) みすまる産業㈱は、軟包装資材の製造販売業を行う中小企業であり、一九四八年に愛媛県川之江市（現四国中央市）で創業。二〇一九年現在、資本金八〇〇〇万円、従業員一〇〇人、中国・米・英に子会社設立（http://www.misumaru.co.jp/、最終アクセス二〇一九年一〇月一〇日）。

した商品を海外工場で生産し、国際物流を使って直接ユーザーに届けるビジネスモデルを開発して、成長している。伝統産業は、一方ではグローバル化の中で存続の危機に瀕しているが、他方では、新たな展開の可能性を獲得しているのである。

column

愛媛県の酒造業と飲酒文化

寺谷亮司

愛媛県の酒造業

愛媛県には現在、東予一〇場、中予一二場、南予一七場を併せた三九の蔵元が愛媛県酒造組合に加盟している（図1）。このうち、焼酎専用製造蔵（㈱媛囃子）、休蔵や集約蔵（酒を他蔵から購入する非自醸蔵）を除く三〇弱の蔵元で、今期も日本酒が造られる。一九九九年と二〇〇九年に同様の地酒マップを作成した際は、六四場と四七場の蔵元が存在したので、二〇〇〇年代に比べ二〇一〇年代は廃業蔵が少なかったが、最近一年以内に豪雨災害のあった肱川流域の後藤酒造と緒方酒造が廃業した。

上記三九場の創業年をみると、江戸期一一場、明治期二一場、大正初期二場など、創業百年を超える蔵元が三四場と全体の約九割を占める。創業の古さは、当該業界の大きな特徴であり、地域の伝統的な飲食文化を永く支えてきた証しである。

愛媛県の二〇一七年度の日本酒製成数量は、原酒二〇度換算で一四八五kℓである。この数値を二〇〇〇年と比較すれば七〇%減（全国は四三%減）となる。蔵元数よりさらに製成数量の減少傾向が著しいことは生産量の縮減に直結し、製成数量五〇kℓ未満の零細蔵は八割を超え、特に南予蔵の生産規模は僅少である。日本酒のみでは収益の確保が難しく、焼酎やリキュールを製造する蔵も多い。県内最大蔵・梅錦山川《うめにしきやまかわ》㈱の白鶴酒造（神戸市）の子会社化（二〇一六年三月）のニュースには県民も驚いた。

当該業界では、労働環境の変化も顕著である。日本酒造りは元来、杜氏《とうじ》と呼ばれる農閑期の季節的就業者に依存し、旧伊方町などを出身母村とする「伊方杜氏」は四国最大の杜氏集団として、戦前は四国各県、大分・宮崎

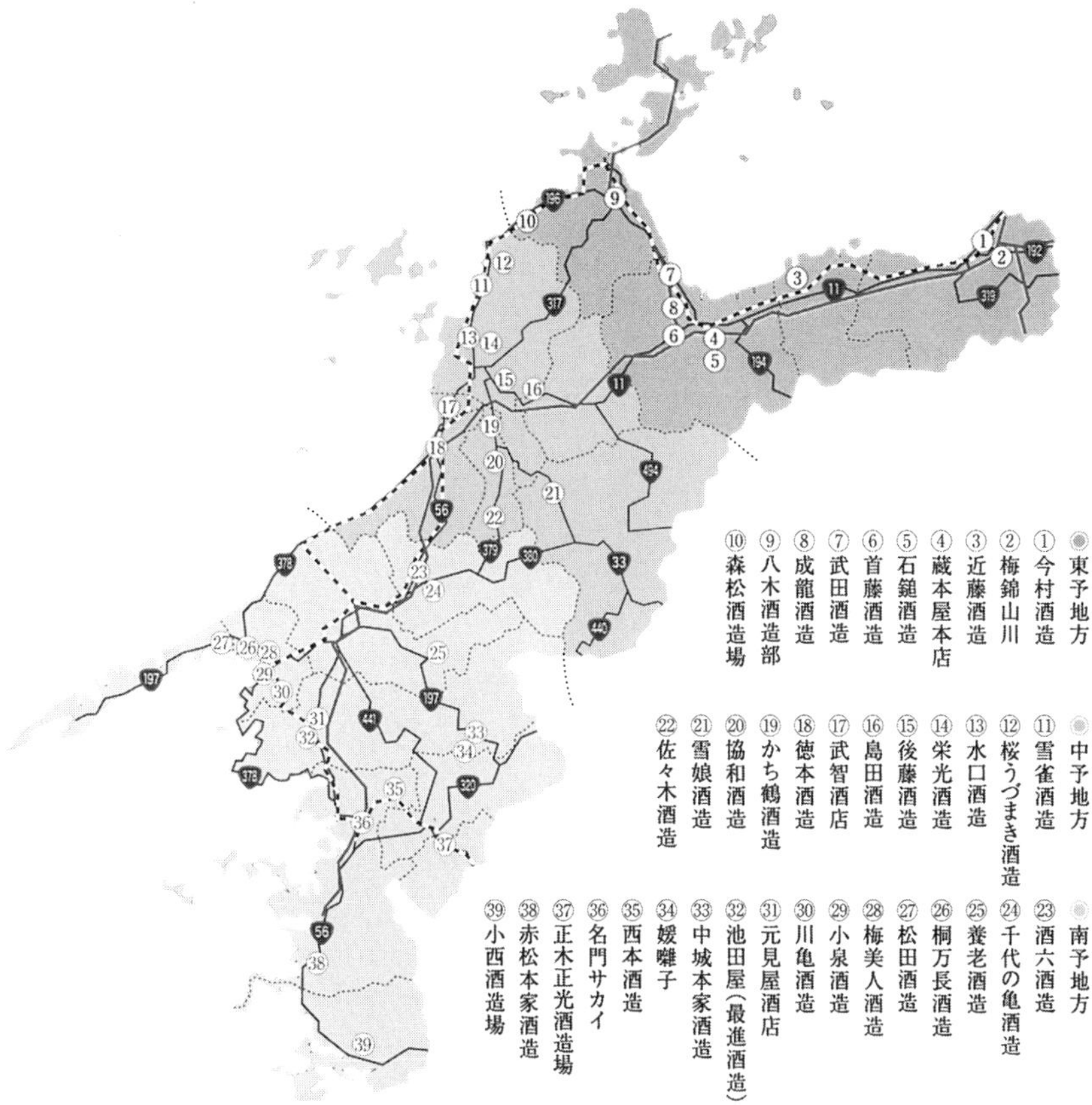

図1　愛媛県の蔵元一覧（2019年現在）（愛媛県酒造組合（2019）『愛媛の酒』を一部改変）

県、朝鮮まで出かけていた。戦後も県内蔵を中心に活躍した伊方杜氏数は、一九六〇年代約三〇〇人、七〇年代二〇〇人、八〇年代一〇〇人、九〇年代数十人、二〇〇〇年代一〇数人、二〇一〇年代数人へと推移し、「伊方杜氏組合」は二〇一四年に解散した。現在では、社長やその子弟が自ら責任を持ち、家族で酒造りに取り組む蔵がほとんどである。

愛媛県の飲酒文化

わが国における今世紀の成人一人当り酒類消費量（二〇〇〇〜二〇一七年）の変化をみると、単式蒸留焼酎（焼酎乙類）、果実酒、ウィスキーはブームによる増加傾向がみられるのに対し、酒類全体では一六％減少しており、とりわけ日本酒と狭義のビールは半減し、消費者離れが進んでいる（表1）。愛媛県でも同期間に酒類全体で消費量は一九％減少し、二〇一七年の成人一人当り酒類消費量七四・三kℓは都道府県の中で中位の二七位である。一方、隣県で酒の雄県として知られる高知県の同全国順位は東京都に次ぐ堂々の第二位である。愛媛県が全国平均消費量を上回る酒類は、合成清酒、単式蒸留焼酎、発泡酒のいわば「安酒」である。

愛媛県の日本酒酒質は従来より「甘い」と言われ、市販酒分析値をみても、岡山、広島、大分などの瀬戸内諸県とともに甘く、エキス分が少ない「淡麗甘口型」とされてきた。とりわけ、南予や内陸地域の酒質は、郷土料理の味付けの濃さと相まって甘口酒が多い。ただし、日本で最も甘口となった二〇〇二年

表1　愛媛県、高知県、全国の成人1人当り酒類消費数量（2000・2017年、ℓ）

県名	年次	日本酒	焼酎甲類	焼酎乙類	ビール類	果実酒類	洋酒類	合計
愛媛県	2000	10.81	1.16	4.53	71.27	1.38	1.19	91.78
	2017	4.92	2.57	4.60	53.85	1.82	5.19	74.26
高知県	2000	13.35	1.85	3.67	85.46	1.56	1.51	109.45
	2017	6.26	2.91	4.57	71.27	1.85	6.30	94.04
全国	2000	10.39	4.12	3.25	71.80	2.83	1.73	95.50
	2017	5.31	3.55	4.25	56.35	3.58	5.98	80.04

注1）年度は会計年度。資料：「酒販ニュース」（2002年1月1日号、2019年1月11日号）
注2）「焼酎甲類」、「焼酎乙類」の現在の呼称は、「連続式蒸留焼酎」、「単式蒸留焼酎」
注3）「日本酒」は「清酒」、「合成清酒」の合計。「ビール類」は「ビール」、「発泡酒」、「リキュール」、「その他の醸造酒」の合計。「果実酒類」は「果実酒」、「甘味果実酒」の合計。「洋酒類」は「ウィスキー」、「ブランデー」、「スピリッツ」の合計。

以降は、全国平均的な酒質を記録する年も多く、愛媛県の「薄くて甘い」酒質イメージは薄れつつある。一方、高知県の酒質は、典型的な「淡麗辛口型」であり、上記の消費量の違いと併せて、隣接県でこれほど酒風土が違うのは、全国的にみても極めて異例であり、嗜好や飲食文化の風土性を示す好例である。

近年の取り組みや新動向

県酒造組合が二〇〇四年に開業させたアンテナショップ「蔵元屋」（松山市一番町）は、一〇〇以上の地酒が試飲でき、日本酒を余り飲まない女性や若者の利用も多く、蔵元による試飲会が開かれるなど、存在意義は大きい。二〇一二年に始まった「Mar（マール）」ブランド化事業では、地中海と瀬戸内海の風土の類似性に着目し、スペイン料理との相性が毎年審査され、入賞酒はＰＲや輸出に取り組む。また、「賀儀屋《かぎや》」（成龍酒造㈱）、「媛一《ひめいち》会《え》」（武田酒造㈱）、「咲《さ》くら」（桜うづまき酒造㈱）など、地元よりも県外販売を企図する本格的新ブランドシリーズの立ち上げ、輸出用ビンラベルや外国人観客向け看板の製作、クレジット対応など、需要が減衰する業界ゆえに、輸出・インバウンド対策を積極的に進めており、わが国のなすべき産業政策を先取りしているともいえる。二〇一六年には四〇歳台の若い越智浩《おちひろし》氏（石鎚酒造㈱）が組合理事長に就任したことも今後への期待が高まる。

他の県産酒としては、二〇一〇年に内子《うちこ》ワイナリーが設立され、ベリーA、ピオーネ、ロザリオ、巨峰などの生食用ブドウを原料とする「内子ワイン」、東温《とうおん》市、内子《うちこ》町、宇和島市津島町では、「どぶろく特区」の認定を受け、どぶろくが造られている。Iターン者らによって、二〇一五年に柑橘リキュールを造る「大三島リモーネ」と「大三島みんなのワイナリー」、二〇一七年にビール醸造所「大三島ブリュワリー」が相次いで設立された大三島の動向も注目される。

愛媛大学酒「愛され媛（あいされひめ）」

寺谷（写真）を責任者とするプロジェクトによって、2020年２月に愛媛大学酒が完成しました。附属農場の無農薬米「松山三井（まつやまみい）」を原料とし、精米歩合58％の純米吟醸酒です。学生が籾まき、田植え、稲刈り、仕込み、酒搾り、ビン詰め、ラベル貼りに参加しました。４合ボトル（写真奥）と２合砥部焼ボトル（写真手前）商品があり、前者のラベルはバショウの茎を原料に愛媛大学・福垣内暁氏が開発した緑色と黄色の「芭蕉和紙」を重ねて貼り、文字も１枚１枚学生が手書きしています。

東中南予の鉄道遺産を巡る

山口由等

はじめに

四国は列島の主要四島で唯一、新幹線が開通していない地域である。また、ＪＲ四国の電化率も低く、航空機や海運、高速道路を利用する機会が多い。その反面、他地域では少なくなったディーゼルカーが多くみられるなど、他と異なるユニークな鉄道を楽しめる地域でもある。なかでも愛媛県は、鉄道遺産観光に力を入れている東予、国内で二番目に古い民間鉄道会社である伊予鉄道のある中予、ユニークな観光列車が走る南予など各地でそれぞれの見所があり、地域間の移動も含めて楽しめる。この章では、これら三地域の鉄道史や鉄道遺産を紹介したい。

1　東予――鉄道観光の拠点作りを進める西条

ＪＲ予讃線《よさんせん》が瀬戸大橋から四国の北岸を西に走り、高縄半島の西側で北に向きを変えて迂回する手前に位置する伊予西条駅で列車を降りると、線路・ホームに隣接する両側の敷地に鉄道歴史パーク in SAIJO（以下、鉄道歴史パーク）がある。鉄道歴史パークの核となる四国鉄道文化館では、０系新幹線の客室と運転席が常時開放されている他、Ｃ57形蒸気機関車やキハ65形気動車（ディーゼルカー）、フリーゲージトレイン試作車など合わせて六輛が保存・展示されている。もともとは、駅舎のある側だけに現在の北館と十河信二《そごうしんじ》記念館、観光交流センターが二〇〇七年に開館した施設である。その後、展示車両を増やすと共に、四国をテーマにした鉄道模型の走行ジオラマなどを備えた南館が二〇一四年に開館した。西条市が歴史パークを伊予西条駅付近に整備する出発点となったのが、十河信二顕彰事業の計画だった(1)。その後、ＪＲ四国や日本ナショナルトラストの協力により鉄道博物館中心の計画が具体化すると、地元出身の偉人である十河信二の顕彰という本来の趣旨を活かすために個人記念館の建設が付け加えら

写真１　四国鉄道文化館（伊予西条駅前）

（1）十河信二文書研究会の加藤新一の調査による。

れた。

十河信二は、旧制西条中学（現・西条高校）出身で、第四代国鉄総裁の在任中に東海道新幹線の実現の立役者となったことから「新幹線産みの親」といわれる人物である。西条市には、その遺品や蔵書などが遺族から寄贈されて保管されている。その中でも特に史料的価値が高いのが、国鉄総裁在任中の理事会の会議資料を中心とする「十河信二文書」である。こうした経営資料が外部で保管されて調査可能となるということは通常あり得ない。しかも国鉄という近代日本の中でも最大級の経営体の一次資料が、数年分とはいえ地方都市の図書館で守られてきたのは、遺族や西条市関係者の奉仕的な貢献によるものである。[2] この文書群は、新幹線関係資料など高度成長期の重要資料が含まれ、一部の鉄道史研究者から注目されている史料だが、半世紀前のザラ紙による謄写版印刷等で劣化が進んでおり、一般公開するのは難しく、全面的な撮影や複写にも予算の問題がある。それでも、現在までの成果として「十河信二文書目録」や重要資料の翻刻である「十河信二関係資料」（第一集・第二集）が西条市教育委員会から刊行され、県内の図書館などに配置されている。

写真2　十河信二文書の展示

十河信二記念館も、当初は勲章や遺品などを

（2）「十河信二文書目録」の解題（加藤新一執筆）を参照。

中心とした展示と解説であったが、十河信二文書研究会による調査・整理がある程度進んだ現在では、その一部を記念館で眼にすることもできる。ざら紙の会議資料を綴じた十河信二文書をガラスケース越しに眺めても、観光客にとって面白いというものでは無いかもしれないが、一次資料らしさがかえってそのまま示されているともいえる。

実は、十河信二の死後に西条市に寄贈された遺品は国鉄一次資料だけで無く、いわゆる蔵書や文化品も多かった。これらのうち文化品は西条市内の「こどもの国」という施設で一部が展示されている。さらに、蔵書は西条駅から歩いて一〇分ほどの西条市立西条図書館に保管され、その多くが十河信二文庫として開架の書棚に配置され、手にとって閲覧できる。晩年の「新幹線産みの親」としての功績で知られる十河信二だが、南満州鉄道（いわゆる満鉄）の理事として満州事変にも関わり、事変後には興中公司という開発会社の社長を務めるなどして「大陸の虎」と呼ばれて活躍した時期があった[3]。同文庫はこうした十河の経歴を反映して、戦前の対中政策や中国に係わった人びとに関するものが多い。十河信二文庫の棚の前にもガラスケースがあり、十河信二の遺品の中から絵はがきや自筆原稿などが定期的に入れ替えられながら展示されている。また、その脇の鉄道書籍コーナーも、社史や写真集、路線案内など様々な鉄道関係の書籍が並べられていて、眺めていると楽しい。西条図書館自体、うちぬきの水の小川に挟まれた落ち着いた環境の、近代的デザインの木造建築で眼を惹きつけられる。鉄道歴史パークを訪れる際には、西条図書館にも足を伸ばしたいものである。

（3）この満洲・中国時代の十河の動向は原朗の諸研究に詳しい。

2　中予――観光活用が進む、松山の坊っちゃん列車

松山市の伊予鉄道は、ＪＲを除いた民間の鉄道会社としては、南海電気鉄道に次いで二番目の歴史を持つ。一八八八年の開業当初のドイツ・クラウス製の蒸気機関車を再現した「坊っちゃん列車」（動力はディーゼルエンジン）が二〇〇一年から営業運転しており、松山市のシンボルの一つとして観光資源となっている。二〇一六年には、「坊っちゃん列車ミュージアム」がオープンし、また、松山商工会議所を中心に伊予鉄道創業者である小《こ》林《ばやし》信近《のぶちか》の顕彰が進められるなど、その歴史は二〇〇〇年代に入ってから地域振興にも一役買っている。

伊予鉄道はその開業から約一〇年の間に、自社の路線延長や後に合併する追随会社の敷設によって、現在の市内電車や郊外線にかなり近い路線網が形成された。そのため、その路線は全体的に明治期の鉄道の名残があり、鉄道とウォーキングで鉄道遺産を巡るという楽しみ方もできる。当時の車両はほとんど残されていないが、まず、梅津寺駅前に一号機関車と客車が保存・展示されている。梅津寺パークに顕彰碑がある井上要《いのうえかなめ》は、一九〇六年から一九三三年まで足かけ二八年もの間、伊予鉄道の社長を勤めた人物である（ただし、途中に一年ほど社長を退いていた時期がある）。井上は国営幹線鉄道の愛媛県への誘致にも尽力したが、松山に国鉄が延伸・開業したのは昭和に入った直後の一九二七年であった。沖縄を除く道府県庁所在地の中で最後の開業であった。井上は、松山駅開業に際して鉄道誘

致活動を回顧した『愛媛鉄道苦行史』を出版している。この本にも紹介されている、四国鉄道という明治期の鉄道会社の資料が、愛媛県立図書館に残されている。四国鉄道は、中予・東予の財界人と関西の投資家が結集し、松山出身の関西地方の実業家だった岡崎高厚《おかざきたかあつ》が経営の中心となる予定だったようだが、不況により関西投資家が手を引いたことで精算された。松山駅開業は愛媛県人にとってはまさに悲願の達成であった。

写真3　小林信近銅像（松山市駅前）

　松山駅の開業にあたって、伊予鉄道は松山という駅名を国に譲らされ、現在の「松山市」駅に改めることになった。その松山市駅前ロータリーからは、ディーゼル機関が動力ではあるが二編成の坊っちゃん列車の走行レプリカも発着しており、明治期の鉄道に関連する遺産・施設を徒歩数分圏内で見て回ることができる。松山市駅の南側の、松山出身の俳人・正岡子規の生家を復元した子規堂で知られている正宗寺《しょうしゅうじ》も、足を伸ばしたいスポットである。境内には坊っちゃん列車の客車一両が保存・展示されており、内部の座席に座ることもできる。また、松山市駅の東にある伊予鉄道本社一階の坊っちゃん列車ミュージアムには一号機関車のレプリカが展示されている。ミュージアム・伊予鉄本社の横断歩道を挟んだ向かいには、創業者である小林信近の胸像と顕彰碑が立ち、伊予鉄道本社を見つめている。

松山市駅の隣の大手町駅脇にある、路面電車（市内線）の軌道と鉄道（郊外線）の平面交差も、ダイヤモンドクロスと呼ばれる鉄道ファンの名所となっていて、十数分おきに路面電車が鉄道列車の通過待ちをする光景を見ることができる。また、郊外線に乗車して、このダイヤモンドクロスを通過するときの独特の迫力ある振動と音を体感するのも面白い。一方、大手町駅と反対側の石手川公園駅は、鉄橋の上にホームの一部が延びており、これもユニークな駅である。石手川鉄橋とれんが製の橋脚自体も、明治中期にこの路線が建設された当時の産業遺産である。また、時代はかなり下るが、市内電車の車輌の一部は一九五〇年代に製造されてから約七〇年間走り続けており、車内の木製の床や窓枠などが歴史を感じさせてくれる。

写真4　石手川鉄橋と石手川公園駅

3　南予——観光列車と鉄道遺産

南予では二〇世紀初めに宇和島鉄道、続いて愛媛鉄道が開業して後に国有化されたため、愛媛県内のＪＲ四国の路線の中ではむしろ長い歴史を有している。また、南予は現在でも電化されておらずディーゼル鉄道が全面的に活躍している地域でもある。国鉄の分割・民営化によって発足したＪＲ四国が社運をかけて開発した、「世界初の振り子式気動車」・二〇〇〇系が特急「宇和海」として運行されている。ＪＲ四国はこの地域に観光列

写真5　宇和島の扇形機関庫

車を多く運行させているが、近年では「日本一遅い新幹線」・ホビートレイン号や、豪華客車で車窓や「日本で一番海に近い駅」下灘駅から夕陽を楽しめる「伊予灘物語」などが話題となった。

南予では鉄道遺産が各地に点在している。内子《うちこ》駅前のロータリーにはC12形蒸気機関車（二三一号車）が展示されている。一時は劣化が進んで心配されたが、最近整備され直して勇姿を取り戻した車輌である。予讃線と予土線の終端となる宇和島駅近くの和《わ》霊《れい》公園にも同じくC12形機関車（二五九号車）が保存されている他、通常は一般公開しておらず敷地の周囲から見られるだけだが、駅に隣接する宇和島運輸区に扇形《せんけい》機関庫と転車台が現存している。

一方、宇和島駅前に展示されている小型の蒸気機関車は、南予の鉄道のパイオニアとなった宇和島鉄道一号の外観レプリカである。この宇和島鉄道一号は松山の坊っちゃん列車（ドイツ・クラウス製）と同じドイツ製だが、こちらはオーレシュタイン・ウント・コッペル製の軽便鉄道である。一方、東予には新居浜市の住友記念館に、別子鉱山鉄道で活躍したクラウス製の別子一号が保存・展示されている。地方小鉄道の先駆けで「軽便鉄道」という用語を創出したともいわれる伊予鉄道の影響か、近代愛媛ではドイツ製の小型蒸気機関車が県内各地方の鉄道の草分けとなり、その歴史的遺産がそれぞれで展示されている。これも、国の幹線鉄道の整備が遅れた歴史の裏返しである。

おわりに

四国では現在、新幹線の誘致運動が進められようとしている。かつて、幹線鉄道の敷設を最も後回しにされた歴史はくり返されつつある。それを含めて愛媛にも地域特有の鉄道の歴史があり、その中で生まれて残された産業遺産や記憶遺産がある。この章では紹介しきれなかったものもあるし、知られていないものもまだまだあるのかもしれない。愛媛ならではの現役の鉄道の姿を楽しみながら移動し、駅を降りた先では鉄道の歴史を感じる歩き旅をすることで、広い愛媛をゆっくりと巡る鉄道遺産遍路をしてみてはいかがだろうか。

〔参考文献〕
瀧野起一「大正・昭和期の愛媛県喜多郡長浜町の人物群――西浜兵太郎、峰八十一、外山辰五郎――」『えひめ近代史研究　七一号』近代史文庫、二〇一七年
中村英利子『走れ、坊っちゃん列車 日本発の軽便列車ものがたり』アトラス出版、二〇〇三年
福原 俊一『振子気動車に懸けた男たち』交通新聞社新書、二〇一六年
山口由等「〈坊っちゃん列車〉と小林信近」『えひめ近代史研究　七一号』近代史文庫、二〇一七年

column

鉄道唱歌詩碑をめぐる縁
——十河信二（第四代国鉄総裁）と高畠亀太郎（第八代宇和島市長）——

市川虎彦

「汽笛一声新橋を、はや我汽車は離れたり」の歌詞で知られる「鉄道唱歌」を作詞したのは、東京高等師範学校教授を務め、文筆家、作詞家としても活躍した大和田建樹である。大和田は、一八五七年に宇和島藩士の子として生まれている。現在、宇和島駅前には、大和田建樹の詩碑が建っている。この詩碑の題字は第四代国鉄総裁の十河信二が、撰文は戦前に宇和島市長、衆院議員を歴任した高畠亀太郎が揮毫している。高畠亀太郎の実弟が、大正から昭和初期にかけて一世を風靡した画家の高畠華宵[1]である。

高畠亀太郎が政治家として活躍した時代、交通の主役は鉄道であった。亀太郎が政治家として最も力を入れた事案は、予讃線の全線開通であったといえよう。予讃線は、一九三九年に高松から松山を経て八幡浜まで開通していた。一方、宇和島から現在の西予市卯之町まで宇和島線が開通したのが、一九四一年である。亀太郎の代議士時代は、まだ卯之町―八幡浜間が不通で、宇和島の人々が松山へ行こうとすると、バスの乗り換えを挟むという不便があった。

写真1　高畠亀太郎胸像（南予護国神社境内）

予讃線全線開通というのは、宇和島地方の人々にとって悲願と呼ぶべきものであったようである。戦争中で物資が極度に不足する中でも、熱心な陳情活動は続けられる。その中心に亀太郎はいた。亀太郎は国会召集など上

写真2　関行男慰霊碑　（西条市楢本神社内）

京のたびに、鉄道省に足を運んでいる。南予住民の熱意が通じたのか、驚くべきことに一九四四年の九月に八幡浜—卯之町間の鉄道敷設着工が決定する。一九四四年といえば、アメリカ軍の太平洋反攻が本格化し、六月にはマリアナ沖海戦が起こった。この戦闘で日本海軍は空母三隻を失い、太平洋における制海権、制空権を喪失した。陸ではサイパン島の守備隊が全滅し、この島の飛行場から日本本土への空襲が可能となった。サイパン失陥を受け、七月には戦争を指導してきた東条英機内閣が総辞職している。さらには一〇月に、フィリピンに侵攻してきたアメリカ軍との間にレイテ沖海戦が戦われた。この海戦で連合艦隊は戦艦武蔵に加えて空母四隻を沈められ、組織的な戦闘力を失った。このレイテ戦では、ゼロ戦に爆弾を積んで敵艦船に体当たりするという前代未聞の神風特別攻撃隊が初めて出撃した。そこまで日本軍は追いつめられていたわけである。ちなみに、その最初の特攻隊・敷島隊の隊長である関行男大尉は、愛媛県西条の出身であった。このように、まさに敗色濃厚となった中での着工であった。工事は進められ、敗戦のわずか二か月前、すなわち一九四五年六月二〇日に全線開通する。亀太郎は「待望ノ八幡浜—卯之町間鉄道運転ヲ開始シ、本日其開通式ヲ行ハル、」と、この日の日記に記し、開通式に列席している。

この式には、当時半ば浪人状態にあった鉄道院ＯＢで愛媛県出身の十河信二も参列している。機構改革でこの頃新設された四国鉄道局の初代局長は、井上禎一である。井上は、学生時代に十河が舎監をしていた西条学舎に寄宿していた。西条学舎とは、愛媛県西条から上京した学生たちのための寄宿舎である。つまり井上は、同郷の恩人であり、かつ鉄道界に関係の深い十河を、浪人中ではあったが式典に招いたのであった。亀太郎は一八八三年生まれ、十河は一八八四年生まれ、同年代である。

開通式にて、十河と亀太郎は会話を交わす機会があったのだろうか。亀太郎の日記には「双岩駅ニ下車シ、同地国民学校ニテ挙行ノ鉄道局主催開通式ニ列ス。十一時開式。式後折詰ノ饗アリ」とのみ書かれていて、誰がその場にいたかについての記述は、残念ながらない。

　ちなみに十河は、開通式に出席するついでに、地元の西条市に立ち寄った。そこで西条市長就任を、市の有力者たちから懇請されることになる。口説き落とされた十河は、敗戦直前からごく短期間、第二代西条市長を務めた。

写真3　十河信二胸像(四国鉄道文化館前)

しかるに、敗戦時に市長職にあったことから、十河は公職追放に処せられてしまうのである。

　戦後九年が経った一九五四年一一月、亀太郎は当時の国鉄が誇る特急つばめに乗車している。日記を紐解くと、「大阪駅へ出て九時発特急つばめに乗って、東京へ向った。宇和島の交通公社で特急券入手して居たので、指定の特二等席へ着いたが、終戦前、特急のなくなって以後、十年振りに乗ったつばめである。座席も一人で、自由に傾斜が出来、其他の構造も改善されて、食堂は帝国ホテルの洋食となり、総体的に戦前より良いようである。午后五時正刻に東京駅に着し、拡張工事出来て立派になった八重洲口より出て、龍名館に投宿した」とある。車内設備は、亀太郎を満足させている。しかし、当時の最速列車をもってしても、東京―大阪間が八時間かかった。宇和島から東京までは、二日間かけねばならなかった。

　十河が国鉄総裁の職を引き受けたのは、この翌年の一九五五年のことである。そしてここから、数々の反対論を抑え、資金不足に悩みながら新幹線開業へ向けて辣腕をふるっていくのである。新幹線は一九六四年一〇月一日、開業する。十河信二は、前年に国鉄総裁を退いている。この日の新幹線開通式に、「新幹線の父」と称されることになる十河が国鉄から招かれなかったというのは、あまりに有名な話である。

亀太郎は東京オリンピックを観戦するため、同年一〇月二〇日に上京する。この時、新幹線を初めて利用している。亀太郎は、日本人の中でもかなり早い時期に新幹線乗車を経験したことになる。朝、宇和島を出発して、その日のうちに東京に着くことができるようになっている。新幹線は時間距離を劇的に縮めた。これ以後、亀太郎は上京のたび毎に新幹線を利用する。

翌一九六五年、亀太郎の日記に十河信二の名が二度現れる。亀太郎は高等小学校を卒業する直前（一八九七年）から亡くなる直前（一九七二年七月）まで、膨大な日記を書き残している。(2) その日記の中に、十河の名が現われるのは後にも先にもこの時だけで、実際に会っていたかもしれない予讃線開通式から二〇年後のことになる。

写真4　大和田建樹詩碑（JR宇和島駅前）

この年は宇和島ライオンズクラブの結成十周年の年にあたっており、その記念事業として大和田建樹の詩碑を建立することが決まったのである。詩碑の題字の揮毫者として白羽の矢が立ったのが十河であった。愛媛出身の前国鉄総裁は、「鉄道唱歌」の詩碑にうってつけだと考えられたことであろう。「唱歌」の揮毫は、松山出身で旧制一高校長、文部大臣、学習院院長等を歴任した安倍能成に依頼されている。そして、最初に述べたように碑の裏面にある撰文が高畠亀太郎の揮毫である。予讃線全線開通に精力を傾けた亀太郎と新幹線敷設に剛腕をふるった十河、両者の文字が表裏に刻まれて今に至っている。

高畠亀太郎日記における十河の名は、八月三日にライオンズクラブから十河、安倍の二人に記念品の目録を贈ることが、また同月七日に十河の題字を見たということで現れる。両者が実際に会ったわけではないのである。それから二か月後の一〇月一〇日に、大和田建樹詩碑の除幕式が執り行われる。当然ながら亀太郎も参列している。十河の揮毫による碑をみた亀太郎は、二〇年余り前の予讃線開通式のことに思いを馳せたであろうか、それとも十河が式に出席していたことに気づいていなかったのであろうか。今となっては知るすべもない。

〔注〕

（1）宇和島市立歴史資料館には「華宵の部屋」が設けられていて、随時、高畠華宵関連の展示が行われている。また、資料館の建物自体が国の登録有形文化財に指定されている。

（2）日記は、『松山大学総合研究所所報 高畠亀太郎日記』として公刊されている。

公・民・学協働によるこれからの道の駅
――ふわり活性化プロジェクト――

松村暢彦

1 道の駅の時代

道の駅が生まれてから二五年以上たった。諸説あるが、一九九〇年、建設省中国地方建設局の会議で「鉄道に駅があるなら、道に駅があってもいいじゃないか」という発言をヒントに生まれたらしい。考えてみれば、律令時代の五畿七道の整備に伴って道に設けられたのが駅の始まりとすれば、そもそも駅は道こそがふさわしく、先祖返りしたといえなくもない。その後、地方分権の波にも乗って、二〇一九年六月現在で全国で一一六〇カ所まで整備され、四国には八七カ所がある。四国の全国に占める人口割合は三・二%であるのに対して、道の駅は七・五%で、四国はかなり道の駅の密度が高い地域といえる。もしかすると、道の駅は遍路の伝統と親和性があるのかもしれない。

　さて、道の駅は第三世代に入ったといわれる。第一世代は道の駅の基本コンセプト、すなわち、「地域とともにつくる個性豊かなにぎわいの場」の普及期で、道の駅が生まれた一九九三年からおおよそ二〇年間にあたる。この頃の道の駅は、三つの基本的な機能、休憩機能、情報発信機能、地域連携機能の整備がすすめられた。第二世代は、地域の拠点機能の強化とネットワーク化を重視し、道の駅そのものが目的地になった二〇一三年から現在まで。四国でも内《うち》子《こ》町《ちょう》にある「道の駅内子フレッシュパークからり」は、農産物の出荷者や栽培管理情報を開示・提供するトレーサビリティシステムを導入し、平成二七年度全国モデル道の駅に選定されている。また、観光客を集めているしまなみ海道にある三つの道の駅（道の駅　よしうみいきいき館、道の駅　多々羅しまなみ公園、道の駅　伯方Ｓ・Ｃ・パーク）は、道の駅同士のネットワークを組んで、瀬戸内を満喫できるきわめて魅力的な観光コースをつくりあげている。では、第三世代の道の駅とは何か。それは、道の駅のネットワーク化と多様な主体との連携による、観光や防災などさらなる地方創生の拠点化といえよう。道の駅同士のネットワーク化は、しまなみの道の駅が全国の模範になっている。道の駅から船、サイクリングなどを使って瀬戸内観光に出かけることができる観光拠点として賑わい、修学旅行など団体の受け入れなども行っている。また、東日本大震災では遠野市にある「道の駅遠野風の丘」が自衛隊や各種救援隊の集積地となり、防災拠点として機能したのも記憶に新しい。買い物もままならない中山間地域では、スーパー代わりに日常買回り品を購入できる、いわゆる「小さな拠点」としても重要な施設になっている。毎年、大災害に見舞われる中、道の駅の防災拠点機能はますます期待されるであろうし、インバウンドの観光地巡りから異日常体験への質的変化、人口減少に伴う中山間地の生活基盤機能などこれからの時代の変化を考えれば、道の駅の地域拠点としてますます期待は高まっていく。特にMaas（Mobility as a service）の進展によって移動そのものが大きく変わっていこうとするなか、道の駅の拠点機能もバージョンアップされていくであろう。また、愛媛県南部と高知県北部の奥伊予の七駅は「どんぶり街道七駅巡り！」を実施し、道の駅のはしごを誘発するような取り組みを行っている。日常時だけではなく、平成三〇年七月豪雨では、愛媛県も甚大な被害を受けたが、愛媛県鬼北町《きほくちょう》にある「道の駅森の三角ぼうし」では被害の大きかった「道の駅きなはい屋しろかわ」の特産品のベーコンを代理販売した。このような道の駅同士、道の駅と周辺地域の連携により魅力化の相乗効果をねらう取り組みはますます増えていくと予想される。

2　共同・協同・協働

こうした道の駅と地域のネットワークを進めていくためには、多様な主体との連携、「公・民・学の協働」がカギになる。ここで「協働」について考えてみたい。「きょうどう」は「共同」「協同」「協働」など使い分けることができる。「共同」は文字通り、ともに同じくする、つまり、異なる立場ではなく、同じ立場の人が行うことに焦点がある。共同浴場は、浴場を利用する人の立場は同じであるから共同の語をあてる。「協同」は「協」の文字の成り立ちからすると、篇の十はあわせるという意味があることから力をあわせる、しかも力は三つ、異なる立場の力をあわせることを意味する。つまり、異なる立場の人が同じ目的に向かって力をあわせることになる。生活協同組合は生産者、消費者が生活改善のために力をあわせる組織である。では、「協働」は？「働」は英語でWorkであり、Workには働く（労働する）という意味以外にも、機能するという意味がある。行政計画などでは「協働」が多用されているが、その多くは「一生懸命がんばります！」「なんでもいってください、働きますので！」（もしくは「働いてください」）といった意味あいで使われていることが多いように思う。確かにそういった姿勢は重要であるが、ガムシャラに頑張るだけではなく、それぞれの立場で地域活性化に対して機能することがより重要である。では、地域活性化、まちづくりにおいて必要な機能とは何か。それが公・民・学になる。「公」とは、地域に必要な公的サービス・基盤の提供をさし、主に市役所や町役場などの行政が担うことが多いが、自主運行バスを想定したらわかるように住民組織が担うことも考えられる。「民」は、市民活動、経済活動による地域活力の創出を表し、農産物直売所などが代表例であろう。「学」は専門知識・技術を活かした先進的な教育・研究活動で、大学や小中学校、高等学校が担うことが多いが、それだけではなく、住民も学の担い手として重要である。たとえば、平成三〇年七月豪雨で、八幡浜市では奇跡的に死者がでなかったが、それは消防団の方々の間で「ここから水が噴き出しているときは、とにかくすぐに避難すること」という先輩消防団からの言い伝え、地域の知恵が伝承されてきたことも一因だったとのことである。これは、住民が学の機能を担ってきた好事例であろう。

第三世代、ネットワーク化と多様な主体との連携にむけた道の駅にとっては、ますます地域のさまざまな主体、産・官・学・民との協働が重要になってくる。しかし、道の駅と大学との連携状況の調査結果をみるとまだまだという状況である。大学ゼミとの連携企画は全国の道の駅ではわずか三%にとどまっており、インターンの受け入れを入れても一七%である。ここでは、「道の駅風早の郷風和里《ふわり》」を場とした公・民・学連携のささやかな事例を紹介したい。

3　ふわり活性化プロジェクト

「道の駅風早の郷風和里」は松山市北条にあり、松山と今治を結ぶ国道一九六号沿いに立地している（図1、写真1）。海岸に面していることから、夏は海水浴客でにぎわう。山側はスポーツ施設に近接しており、人を呼び込むポテンシャルが高い。その一方で北条地域は、高齢化が進んでおり、周辺の農家の後継者問題は深刻である。特に地域の特産品である玉ねぎは重量野菜であることからも高齢を理由に離農が進んでいる。

このような地域にある道の駅風和里を舞台に、道の駅と地域の活性化を共通のミッションとして、風早の郷ふわり協同組合と愛媛大学社会共創学部環境デザイン学科、国土交通省松山

図1　道の駅「風和里」の位置

写真1　道の駅「風和里」の全景

表1　道の駅風和里活性化プロジェクトのプロセス

区分	日付	内容	大学	国土交通省	㈱建設技術研究所	風早の郷ふわり協同組合
現地を知る(P)	H29. 5. 19	道の駅風和里、北条地域の基本情報を共有するための講義	授業（1年生）	講師		
課題を発見する(P)・提案する(P)	H29. 5. 20	道の駅「風和里」でのフィールドワークと活性化案の提案	授業（1、2年生）		ファシリテーション	講評
提案する(P)・決める(P)	H29. 12. 19	「柑橘まつりを盛り上げる」企画コンペ	授業（1年生）	講評	ファシリテーション	
改善する(D)		この間、みかん大福、みかん餃子の試作の繰り返し	1年生チーム	備品の支援	材料の調達支援	原材料の調達
実践する(D)	H30. 2. 11	柑橘まつりにみかん大福・みかん餃子を出店	1年生チーム	設営、記者発表・情報発信	記録	材料の調達、場所の提供
振り返る(C)	H30. 2. 28	柑橘まつりの企画の振り返り	1年生			
見直す(A)	H30. 12. 7	継続的な協働のしくみ（大学講義との連携）、今年度の柑橘まつりの方針協議	協議	協議	協議	協議
提案する(P)・決める(P)	H30. 12. 21	「柑橘まつりを盛り上げる」企画コンペ2（みかん大福とコラボ）	授業（1年生）	講評	ファシリテーション	講評
改善する(D)		この間、前年度のみかん大福チームによるクオリティアップ	1、2年生チーム	備品の支援	材料の調達支援	原材料の調達
改善する(D)	H31. 1. 12	西予市野村町仮設住宅で足湯をNPOオープンジャパンから教えてもらう	1年生チーム			
実践する(D)	H31. 2. 17	柑橘まつりでみかん大福、みかん足湯を出店。理事会青年部のふるまい（もちつき、獅子汁）の手伝い	1年生、2年生チーム	設営、記者発表・情報発信	記録	材料の調達、場所の提供
振り返る(C)	H31. 2. 28	柑橘まつりの企画の振り返り	1年生			
見直す(A)	H31. 3. 28	来年度の風和里プロジェクトの方針協議	協議	協議	協議	協議
現地を知る(P)・課題を発見する(P)	H31. 4. 18	風和里プロジェクトに関する説明、地域や玉ねぎなど農産物に関する情報提供	2年生	講評	講師	講師
提案する(P)・決める(P)	H31. 4. 25	「閑散期の風和里を新規イベントを立ち上げる」企画コンペ	2年生	講評	ファシリテーション	講評
現地を知る(P)	R1. 5. 19	玉ねぎの収穫体験	2年生		収穫体験の支援	収穫体験の手配、講師
改善する(D)		この間、商品（玉ねぎスムージー、玉ねぎプリン、玉ねぎバーガー、玉ねぎ串）の試作と繰り返し	2年生	備品の支援	材料の調達支援	材料の調達
実践する(D)	R1. 6. 23	ふわたま祭りの開催と出店（玉ねぎスムージー、玉ねぎプリン、玉ねぎバーガー、玉ねぎ串）	2年生	設営、記者発表・情報発信	記録	材料の調達、場所の提供
振り返る(C)	R1. 7. 31	ふわたま祭りの企画の振り返り	2年生			
実践する(D)	R1. 8. 25	風和里夏祭りで出店(玉ねぎ串)	2年生チーム		手伝い	主催
見直す(A)	R1. 10. 25	ふわたま祭りの振り返りと今年度の柑橘まつりの方針	協議	協議	協議	協議

河川国道事務所、（株）建設技術研究所がチームふわりを結成し、公・民・学協働のもと、若者の発想力や学問的知見を活用した活性化の企画検討・実践を平成二九年から行っている（表1）。

一年目は、道の駅や地域を知るために国土交通省から道の駅の説明と今後の地域活性化の期待に関する講義と道の駅でのフィールドワークを、一年生を対象に行った（写真2）。このときは学生が八名程度のグループに分かれて、現地をあるき、道の駅の活性化方策を道の駅の駅長へ提案した。この時の提案としては、スタンプラリー、宿泊施設の設置など自分事になっていないものが多かった。その後、しばらく検討の時間をおいて、学生の主体的な参加を働きかけるため、二月の道の駅主催のイベント、柑橘まつりに参加すること

写真2　風和里でのフィールドワーク（H29/5/20）

写真3　「柑橘まつりを盛り上げる」企画コンペ（H29/12/19）

写真4　柑橘まつりへのみかん大福・餃子の出店（H30/2/11）

にし、一二月にその企画コンペを行った（写真3）。愛媛県といえば柑橘、みかんを使ったスイーツや軽食など自分たちが行うことを前提とした提案で、最終的に投票でみかん大福、みかん餃子を出店することになった。二月の実施に向けて試作に明け暮れる毎日になるが、ふわり協同組合には原材料を快く提供いただき、思う存分取り組むことができた。そして、二月の柑橘まつりで二つの商品を提供し、二〇〇食分を午前中に完売した（写真4）。実施に際しては、国土交通省が記者発表や情報発信を行うとともに（株）建設技術研究所は、試作時のふわり協同組合との連絡調整を行うなどそれぞれの立場で協力体制をとることができ、この四者の協働実績ができたのが一年目の大きな成果となった。

二年目は単に一年目の継続をするだけではなく、一年目の課題としてでた来場者とのコミュニケーションを増やすことを念頭において、柑橘まつりでの参加をバージョンアップしていく方針をたてた。一二月に一年生を対象に柑橘まつりで昨年実施したみかん大福にプラスして盛り上げる企画提案を行った。その年の七月は西日本豪雨で愛媛県も大きな被害を受けた。幸い、北条地域の柑橘農家の被害は他地域に比べて大きくなかったものの、学生は被災直後から大洲市《おおずし》、西予市《せいよし》野村町、宇和島市吉田町に災害ボランティアとして現地に入って、さまざまな作業、活動を通して被災者の方々の思いを共有してきた。一二月の野村町の仮設住宅では、NPOオープンジャパンが足湯を行って、被災者の方々の心をほぐし、自然と話をされているのをきいて、柑橘まつりに「日ごろの疲れをフットバス」（フットバスは足湯の英語）と称した、ミカンの皮をいれた足湯を行うことになった。最初は寒い時期に靴下を脱いで足湯に浸かってくれる人は少ないのではないかという思いもあったが、多くの方々と学生がいろいろな話をすることができていた（写真5）。さらに、前年と違って一年生三〇名が来ていたこともあり、ふわり協同組合青年部がされていた来場者向けの振る舞い、つきたてのもちを使ったぜんざいやしし汁を手伝うことができた（写真6）。共同作業を通じて、ふわりの関係者と学生の笑い声がいろいろなところで起きていて、会場の雰囲気づくりに役立つとともにお互いの信頼感がより深まった。

三年目は、四者協議のなかで道の駅だけではなく北条地域も視野におくことになり、北条地域の名産品である玉ねぎに着目することになった。北条地域の玉ねぎ生産者の長野さん（(株) OCファーム暖々の里）はアメリカでの農業研修の経験を活かして、規模拡大や販路開拓を積極的に行っている。長野さんという学生にいい影響を与えてくれる人に出会えたことがプロジェクトの進展に大きく寄与した。そこで来場者が減る六月の道の駅で新規

写真5　柑橘まつりでのミカン足湯（H31/2/17）

写真6　ふわり協同組合と大学が協働した柑橘まつりの風景

写真7　ふわたま祭での玉ねぎを使った商品の開発と販売（R1/6/23）

イベントを立ち上げるコンペを二年生（昨年度の柑橘まつりを経験済み）で行うことになった。その前には、長野さんを講師としてむかえて北条の玉ねぎの情報をいただいたり、玉ねぎの収穫体験をアレンジしていただいたり、ふだん聞くことができない生産者の思いを学生たちに伝える機会を設けた。企画コンペの結果、新規イベントを「ふわたま祭」として、玉ねぎを使ったスムージー、プリン、ハンバーガー、串焼きを販売することになった。長野さんからは、試作にあたって、甘七〇、もみじ三号などさまざまな品種の旬の玉ねぎを提供してもらった。学生が「プリンには甘七〇でしょ」とふだんの会話の中で、玉ねぎの品種名で話をしているのが頼もしかった。ふわたま祭では、「玉ねぎのプリン？」という来場者からの反応がありながらも、すべての商品が二時間で売り切れて、大好評のうちに終えることができた（写真7）。

4　公・民・学協働の場として道の駅の価値

ここで紹介したのはささやかな取り組み事例であるが、社会貢献のために学生を使って道の駅でイベントをすることを目的としているわけではない。マネジメントの大家であるピーター・ドラッカーは「実践なき理論は空虚、理論なき実践は暴挙」という言葉を残している。理論と実践の両方が重要であることを示しているが、これを教育で実践することはなかなか難しい。理論を確かめることができる実践の場やステークホルダーの選定、対象となる学生の専門性などいろいろな条件があう必要がある。まちづくりや地域再生を学ぶ大学、学部であるならば、道の駅は、地域の様々な人たちの思いが交わる場であることから、理論と実践をつなげることができやすい環境にあるといえる。

このプロジェクトでは、ＰＤＣＡサイクルを学生が学ぶ理論としてとりあげている。計画（Plan）、実践（Do）、振り返り・評価（Check）、見直し（Act）、そして次の計画に反映するという、公共政策でもよく取り上げられるとともに失敗も多い理論である。失敗の原因の多くは、サイクルをまわすことを目的にしていることによる。わかりやすさからしばしば定量的な指標が評価に用いられることから、それにあうように見直しがなされるようになる。道の駅はそもそも道路利用者の利便と地域振興を目的に公共政策として導入されたにも関わらず、売上額、来客数といった指標だけでＰＤＣＡサイクルをまわすことによって、当初の道の駅のねらいから外れた儲け主義が横行することにつながってしまう。公共政策におけるＰＤＣＡサイクルは、その中心にある関係者の「思い」を共有し、それによって次の改善に活かすことが要諦である。したがって、ふわり活性化プロジェクトは、全国の道の駅の整備を進めている国土交通省、道の駅の運営主体である協同組合、道の駅に農作物を出す生産者の思い、そして大学としての自分たちの思いを知ったうえで、ＰＤＣＡのプロセスを経験できるように授業のプログラムを組んでいる。大学としてはあくまでも学生教育のために道の駅の場を使わせていただいている。

第三世代の道の駅を目指すにあたって、今後、多様な主体との連携、協働が進められていく。特に、大学は若者の交流により、新たな価値の創造や観光・地域づくりを担う将来の人材育成や地方創生への寄与が期待されている。すでに就労体験型、連携企画型という二つの連携方法が提案されており、実践事例が広がっていくと予想される。その際には、関係者の思いを共有しながら進めることではじめて、継続的、互恵的な人材育成の実践の場として道の駅を新たに価値づけることができるのを忘れてはならない。

第3部

社会と生活

自転車文化と愛媛・松山

山中　亮

はじめに

日本へ自転車が初めて上陸してきたのは、一八六五年〜一八六八年頃と言われている。その当時上陸してきた自転車は、ミショー型（写真1）であり、世界初の量産車としてフランスのパリで生産され、イギリスに渡ってボーンシェーカー（Bone Shaker：骨ゆすり）と呼ばれ、乗り心地は悪かったようである。日本と自転車の出会いは、このミショー型の自転車であった。最初に自転車が文献に登場したのは、一八七〇（明治三）年の「武江年表続編上」（写真2）であった。その年は、松山城三之丸の藩庁が焼失し、藩庁を二の丸に移転した年でもある。翌年（一八七一年）、明治政府は東京府下の車両に税金をかけている。

写真1　自転車（ミショー型、自転車の歴史、http://hamakazuchan.la.coocan.jp/bicycle/bicycle6.html）

徴税対象は人力車二万四五二二両、荷車六〇四四両、馬車一二九両、そして自転車は一両であった。その後、明治九年でも六台と非常に少なく、自転車の普及は税制度の壁もあり、当初なかなか普及へとはつながらなかった。

1　ロシア人捕虜と松山市民による自転車競走大会

愛媛・松山は全国的にいや世界的にも珍しい自転車との出会いをしている。国際的な戦争による捕虜を日本で初めて受け入れたのは、松山であり、ハーグ陸戦条約（一八九九年）の取り決めのもと、ロシア軍兵士が松山に来た。その事実だけでもユニークであるが、自転車に関連づけてみると、さらにユニークな事柄が伺える。自転車を介した松山市民とロシア軍兵士との交流を取り上げる。

松山には、一九〇四（明治三七）年から一九〇六（明治三九）年の間、ロシア兵の俘虜収容所が設置された。その間に収容された俘虜はのべ六〇〇〇名あまりであった。当時の松山市の人口が三万人余りということから、五人に一人はロシア兵であり、見方によると非常にグローバルな都市と化していたと考えられる。寺や神社なども収容施設に活用されていたようで、出入りも比較的容易で、市民とロシア兵との交流は自然と生まれていたことが予想される。その中でも特筆すべきは自転車競走大会であろう。写真3は地元の鉄道会社である伊予鉄道が、大会の際に出した汽車増発の広告（「海南新聞」明治三八年八月四日）である。一九〇一（明治三四）年には、県内に八台の自転車登録（愛媛県統計書より）が確

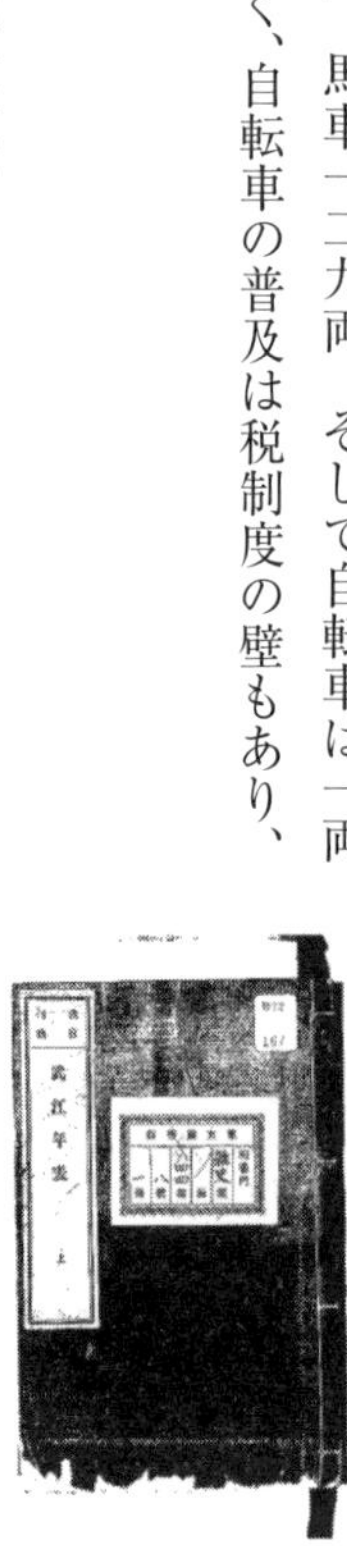

写真2　武江年表続編上

認されている（宇摩郡（現四国中央市））。それが一九〇六（明治三九）年には八六八台（松山市二六九台）の登録数まで増え、五年余りで一〇〇倍超と、この当時自転車の人

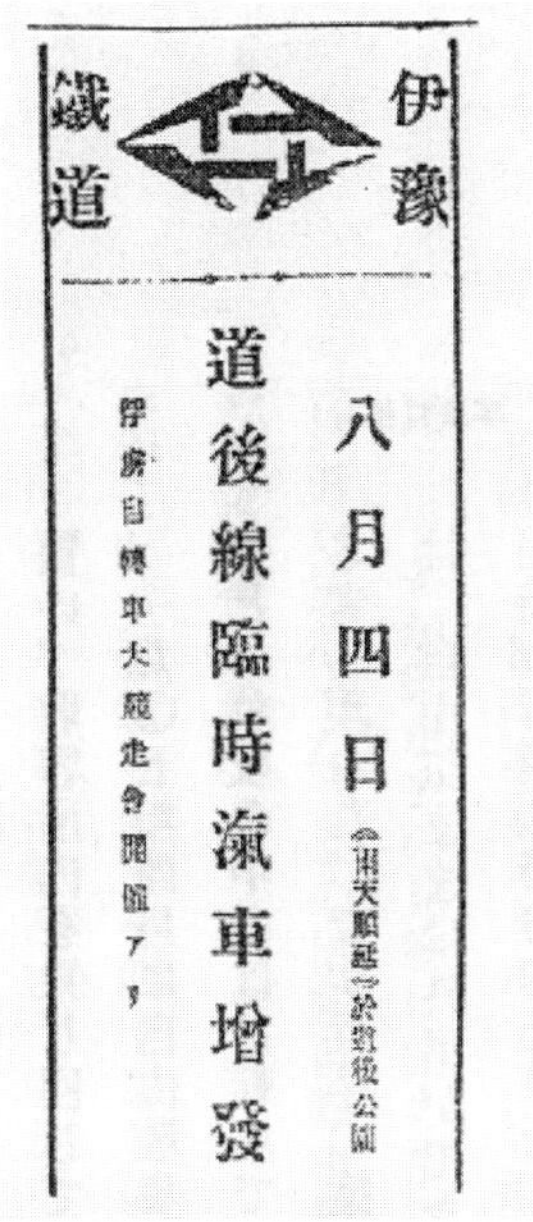

写真3　臨時汽車増発の広告（海南新聞　明治38年8月4日の広告）

気はうなぎ上りであった。しかし、増加しているといっても、自転車は庶民に十分普及した乗り物ではなかった。当時の松山市の人口が約三万人だったので、一〇〇人に一台弱の割合であった。しかし、ロシアの捕虜将校は自転車に乗ることができ、雄郡《おぐり》収容所（現松山市小栗町）では、自転車屋から一〇〇円余りで自転車を借り、収容所敷地内を乗り回していた。一九〇五（明治三八）年四月になると捕虜の自由散歩が認められるようになり、将校の中には自転車で外出するものもいたようである。その様子を観た市民は、車輪を並べた見た目に不安定な乗り物を、颯爽と乗り回すロシア兵に非常に興味をそそられたことであろう。小さな子どもたちにスポーツを伝える時などにその種目のプロ選手などのレベルの高いパフォーマンスをよく見させる。子どもたちはそのパフォーマンスのすばらしさに心を動かされ、その種目に取り組もうとする状況が生まれる。捕虜のロシア兵が颯爽と自転車に乗る姿は、まさしくその状況に近かったのではないだろうか。自転車との接点がこのような状況から端を発している地域は、日本の中で愛媛・松山以外にはないのではないか。一〇〇人に一台程度しか自転車が普及していない地域で五人に一人程度は自転車に

乗ることができる人が住むユニークな地域に短期間で変貌していったのである。

当時、将校などの上級の兵士には手厚い慰問や寄付が行われていたが、下級の兵士には十分な慰問や寄付などは施されていなかった。それに対して、地元の御手洗商店が同情を寄せ、自転車競走大会の懇願を行い収容所から許可が出て、一九〇五（明治三八）年八月四日に道後公園で行われることとなった。敵国の兵士の慰労を地元の人々が申し出たことは、松山市民がロシア兵捕虜を受け入れている様子として受け取れるし、単純に、自転車に颯爽と乗るロシア兵と自転車を通してたわむれてみたかったのではないかとも思える。言葉は通じないが、自転車に乗るということを通して、交流ができることを市民たちは経験を通して学んでいった。今日よく耳にする「グローバル化」という現象が、言葉や知識からではなく、経験から地域や市民全体を飲み込んでいったのである。

写真4　道後公園の自転車競走（写真：松山市）

競技会当日は三〇〇〇人の市民が見物に訪れ、臨時列車も朝八時から夜八時まで運行した。街中は自転車競走大会に興味津々であった。この大会が松山で初めての大がかりな国際スポーツ交流であった（宮脇、二〇〇五）ともいわれている。『ロシア兵捕虜が歩いたマツヤマ』（宮脇、二〇〇五）の中には、この大会の様子が細かく記されており、当時の松山市民が自転車レースで交流した様子を知ることができる。また、大会の前には地元の自転車店が競走用にと、収容所に五台の自転車（当時一台一五〇〜二五〇円程度）を寄贈したり、収容所のある寺の境内で毎日朝九時から夕方四時まで熱心に練習する捕虜の様子も描かれている。彼らは練習で借りる自転車の賃料と修繕費で毎日五円程度を支払っていたようである。一九〇五年の一円は現在の三〇〇〇〜四〇〇〇円程度の価値であり、自転車一台約七〇万円の価値となる。その賃料と修繕費についても一日約一万七〇〇〇円を毎日支払っていたと考えると驚きである。

一〇〇年以上前の愛媛・松山に、自転車を通じてグローバルな多様性を受け入れる素地が出来上がってきつつあったことは非常に興味深い。また、その発端が市民からの働きかけによることも非常に価値のある事実である。世界で初めて捕虜を受け入れた地域がこの松山である事実を踏まえると、この時代に、地方都市で国際交流を自発的に行おうとする素養を持つ市民として新たなアイデンティティに気づかされる。

現在、自転車というと交通手段という認識がほとんどであるが、愛媛・松山では、余暇を楽しむものとして受け入れられていったという事実は、全国的にもユニークな側面ではないだろうか。このように、愛媛・松山と自転車の出会いはスタートしていったのである。愛媛を代表する文学者の正岡子規（一八六七―一九〇二）が、新聞に連載していた病牀六尺（一九〇二年）に、「自分の見たことのないもので、一寸見たいと思ふ物」として、「自転車の競争及び曲乗り」をあげている。その四か月後に正岡子規は永眠するわけだが、数年後に自転車の国際大会が開かれ、多くの市民が経験したと考えると、またこの繋がりもユニークである。愛媛・松山と自転車は、運命的な出会いを経験していたのである。

2 競輪をこよなく愛する市民たち

「ごめんなさいね〜ごめんなさいね〜あなたの予想に添えなくて〜」、このフレーズを皆さんはご存じだろうか。二〇年ほど前に四国内だけの放映ではあったが、話題になったCMである。当時のスター選手たちが、この「ぴよぴよダンス」と呼ばれるダンスを行い、競輪の宣伝を行っている。著者自身も初めて視聴した時は衝撃をうけ、いまだに冒頭のフレーズは脳裏に焼き付いている。

松山けいりんは、昭和二五年一月二一日に第一回目が開催された。その時期松山市は財政難であり、その打開策として登場したのが松山けいりんであった。昭和二五年一月三一日の愛媛新聞の記事では、競輪場で熱狂する松山市民の様子を伝えている（写真5）。この競輪場は、松山市が、昭和二五年四月までに返済するとし一五〇〇万円の借金をし、様々な反発も押し切って、当時堀之内公園（現城山公園堀之内地区）にあった総合グランド内に建設した。建設までの経緯を記述した新聞記事の中には、野球の解説で用いられる、「満塁ホーマー」や「九回裏七対六、ツーダン満塁絶対のピンチ」などの用語を駆使し、終始書き上げられている。地域でなじみのスポーツになぞらえて記事が書かれ伝えられていることが、とても松山らしい。入場者は平均して一日五五〇〇人程度であった。さらに記事は、「車券を買うものはサラリーマンタイプは少なくお百姓が筆頭、次いで商売人、アロハ姿のあんちゃんが多く、芸者が旦那と連れ立ってきているものや妾《めかけ》タイプの女性が通い続けている風景も見られた…」と記され、様々な業界の人々が多く来場していた。また、学校をサボってきた「サボ学生」もいたようで、先生たちの監視ルートにもなっていた。当時の競輪場は松山市の一大社交場と化していたようである。

競輪場が着工にとりかかったのは、昭和二四年七月であり、先述した通り、市の財政難打開の切り札としてであった。四国初の競輪場が八月に認可され、正式に着工を迎えた。開催に向けて、会場準備もさることながら、競輪選手も募集され、その募集に元五輪選手も参加し記事になっている。また、開幕と同時に女性競輪選手一八人も編成された。収益についても十分に計画がなされている。車券売上金の七五％が払戻金に充てられ、五％を国庫、三％を自転車振興会に納付するため、一七％が市財となる。このうちから、人件費、選手宿泊費、旅費、賞金などを七％でまかない、一〇％を純利として納めることができた。この収益によって市は、市民住宅の建設を行ったという。また、市政関係者へのインタビューによると、住宅のみならず、市内の中学校校舎の建設にも充てられたというから、この当時松山けいりんは地域の希望の星であり、この地域におけるスポーツビジネスについて理想の枠組みを構築したといっても過言ではないだろう。

血走る狂輪の表情
かたずのむ追込み
大穴あて天國行も
『儲けは住宅建設へ』

写真5　松山けいりんの様子（愛媛新聞昭和25年1月31日の記事）

写真6　松山競輪場（写真：松山市教育委員会）

さらに松山競輪場自体についてもユニークな特徴を見付けることができた。一九四九年に開設され、現在の城山公園堀之内地区に建設されていたが、そこは市内の文化発信の中心でもあり、市民ホールや美術館、野球場、ラグビー場、陸上競技場、プールといった施設があり、現代的に言うと文化やスポーツのコンプレックス（複合施設）と呼ばれる、娯楽を中心とした複合娯楽施設であった。このコンセプトは現在世界において最も注目されていて、間野義之氏（早稲田大学スポーツ科学学術院）によって「スマート・ベニュー」という概念が提言されている。スマート・ベニューは、「周辺のエリアマネジメントを含む、複合的な機能を組み合わせたサステナブルな交流施設」というコンセプトを謳っており、その当時の城山公園堀之内地区の内部はさることながら、それを取り巻くエリア（JR松山駅、松山市駅、百貨店、商店街、飲食店街、観光地など）は、競輪が開催されるたびに活気を帯びていたに違いない。週末に競輪が開催される時のある家族の光景を想像してみると、家族みんなで、公共交通機関を使い松山けいりんの開催される城山公園堀之内地区に向かう。現地につくと父親はお目当ての競輪に、母親と子供たちは夏はプール、それ以外の時期は市民ホールや美術館などを訪れ教養を高める。競輪後は家族で、百貨店や商店街・飲食街を訪れ、買い物や食事を楽しむ。まさしく「スマート・ベニュー」の具現化ではないかと思われる。当時の競輪場と市庁舎及び県庁舎の距離を調べてみると、松山市庁舎まで三〇〇m、愛媛県庁舎まで二〇〇mと、日本の競輪場の中で各庁舎まで最も近い距離である。さらに松山競輪場は二〇〇五年に松山中央公園（松山市市坪西町）に移転し再建されているが、移転しさらに再建された競輪場は日本中で松山競輪場だけである。

以上のように、松山市と松山けいりんは非常に強い結びつきを持ってきた。しかし、現在の競輪場は「スマート・ベニュー」という視点からは少し物足りない現状でもあること も事実である。

このように、自転車文化の醸成について、他の地域に見られないユニークな経験を地域自体が経てきている。愛媛・松山のユニークなアイデンティティ（自転車文化）の創出と捉えていくと、時代を超えたネットワーク性を感じることができる。

3 自転車を愛する愛媛・松山の人々

大手自転車製造会社ブリヂストンサイクル（埼玉県）の発売する、「ＬＯＣＯＣＯ：ロココ」（写真7）という製品をご存じだろうか。二〇一五年度のロココの販売台数の五割は愛媛県内である。特定の地域で一つのモデルが人気を集めるのは同社でも他にない（朝日新聞、二〇一七）という。著者の息子が高校へ進学する際にもロココを購入した。県内の高校の自転車置き場を覗くと、ロココだらけといっても言い過ぎではない。本県は、自転車による通勤通学が二四・一八%（都道府県別統計とランキングで見る県民性、二〇一〇）であり、そもそも自転車に乗る人が多いのだが、ロココに乗る通学生をいたるところで見かけるほど普及している。

ロココのキャッチコピーは、「おしゃれでタフな通学自転車」としてベルトモデルとチェーンモデルがラインナップされている。価格については（二〇二〇年現在）、ベルトタイプ七万四五八〇円（税込）、チェーンタイプ六万五七八〇円（税込）と、タウンサイクルでは高級車種にランクされる。さらに、県内で通学用に使用される自転車には、両立スタンドとキャリア（後部荷台）が必要となるため、プラス一万円程度となると、七万〜八万円の相場となる。何かと物入りな新学期前にしてひと通りの準備に加え、八万〜九万円の自転車購入がある。自転車通学に対して万全を期す県民性が伺われる。先述の記事によると、周りがみんなロココを購入していることが理由で購入しているコメントが観られるし、有識者も「周りが購入していることが理由ではないか」と見解を述べている。愛媛県民は通学に使用する自転車に、八万〜九万円支出しても良しとする県民である特異な集団として考えるとおもしろい。

さらに、自転車購入のみでなく、本県のヘルメット着用率は六七・六%（愛媛県による調査、二〇一五）であるという。ちなみに自転車の町として知られる堺市は四%程である。県立高校では義務化が定着し、県の職員に至っては、通勤や公務でのヘルメット着用率が一〇〇%になる月もあるという。これには、条例の制定などを含め、愛媛県全体が一体となってヘルメットの着用を推し進める流れの結果でもある。高校へのヘルメット無料配布などの様々な施策の工夫が多くみられ、現在の自転車文化に対する施策もユニークである。

写真7　ブリヂストンサイクルのLOCOCO

おわりに

愛媛県民は自転車に対して、とてもユニークな意識を持っていると考えられるが、そのような意識を持つように育つ、自転車に対する風土が存在しているとは考えられないだろうか。この風土の醸成は一朝一夕に成し得ることは難しく、愛媛・松山が歴史的に経てき

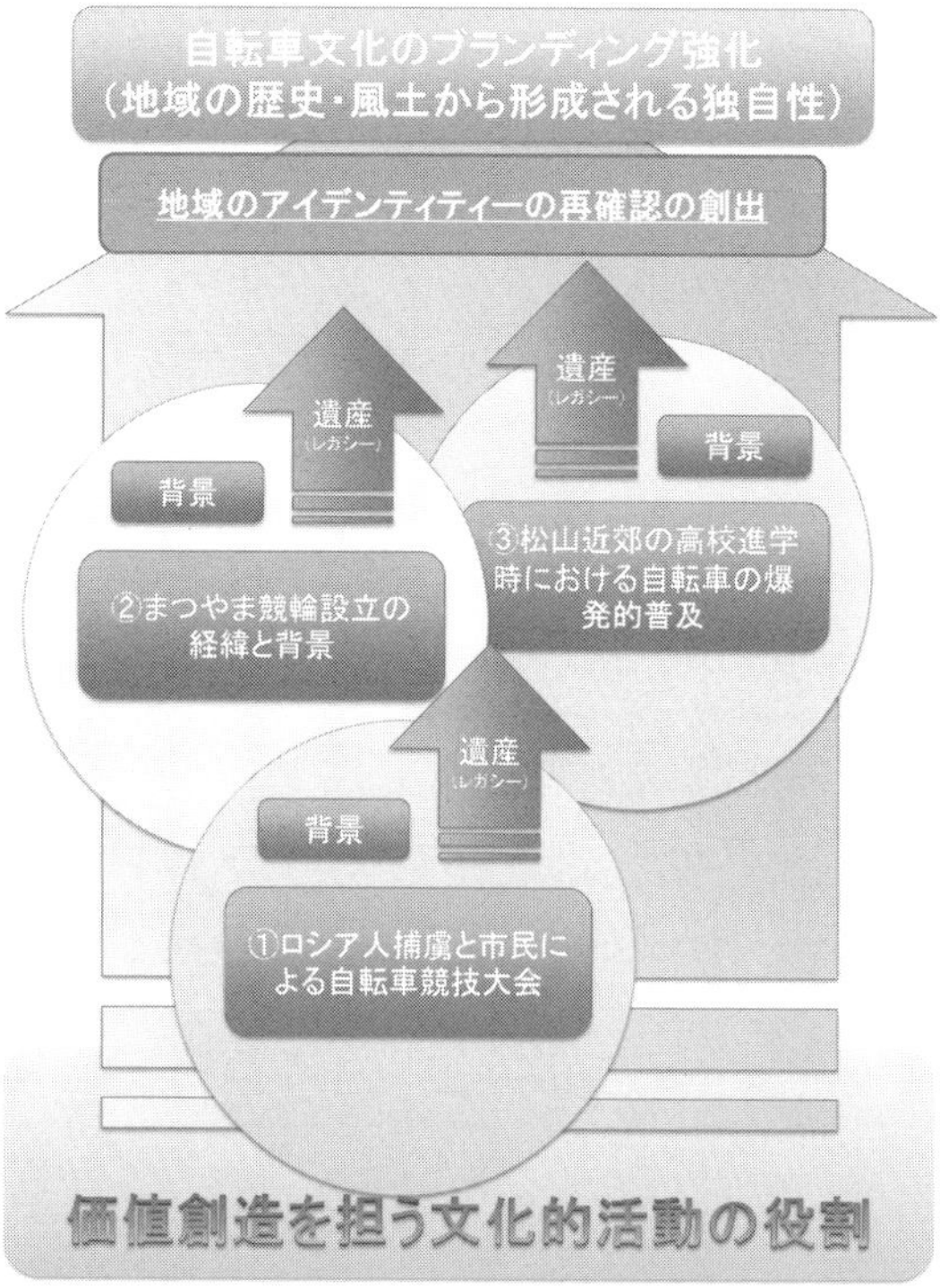

図1　地域のアイデンティティ形成（筆者）

た事実が育んできたといっても過言ではない。筆者は、愛媛・松山では自転車に関するユニークな地域の歴史があるからこそ、その風土が醸成されていると考えている。

地理学者であるエドワード・レルフ（Edward Relph）は『場所の現象学（一九九九）』という著書で、場所のアイデンティティについて言及し、「何かのアイデンティティとは、ある物をほかの物から分かつことを可能にする不変の同一性と統一性を意味するとし、単なる地名辞典の住所とか地図上の点であるよりはむしろ私たちの場所経験に影響を与えまたそれによって影響されるような場所経験の基本特性である」といっている。すなわち、その地域での独特の歴史が地域のアイデンティティを形成し、地域内においては同一性と統一性を意味し、「みんなが購入するから…。」という意識を生みだす。また、それが地域にとっては無意識的であるが、ほかの地域との違いを生み出すということである。さらに、物質的要素、人間活動、そして意味が場所のアイデンティティの三要素であり、その三要素の論理的な結びつきがアイデンティティの関係構造であることを述べている。すなわち、愛媛・松山のユニークなアイデンティティ（自転車文化）は、物質的要素（自転車）、人間活動（自転車競走大会、けいりんなど）、そして意味のユニークな結びつき（歴史的な結びつき）の表れであり、ほかの場所が経験し得ない結びつきが、現在の愛媛・松山の場所のアイデンティティを創出していると考えられる。

〔参考文献〕

『えひめの記憶』書籍一覧―生涯学習情報提供システム https://www.i-manabi.jp/system/regionals/regionals/index/ecode:2（最終アクセス二〇一九年一〇月）
エドワード・レルフ、高野岳彦、阿部隆、石山美也子訳『場所の現象学：没場所性を越えて』筑摩書房、一

九九一年
京口和雄『今に生きる「もてなしの心」：松山・ロシア人墓地保存一〇〇年』愛媛新聞メディアセンター、二〇〇六年
宮脇昇、愛媛新聞メディアセンター『ロシア兵捕虜が歩いたマツヤマ：日露戦争下の国際交流』愛媛新聞社、二〇〇五年
松山大学『マツヤマの記憶：日露戦争一〇〇年とロシア兵捕虜』成文社、二〇〇四年
松山市、松山市史編集委員会『松山市史』松山市、一九九二年
海老島均「イギリスの自転車文化生成のメカニズム：準政府組織（Sport England）、競技団体（British Cycling）、地域クラブの関係性に着目して」『成城大学経済研究』（213）、一―二〇頁、二〇一六年
若林宏保「地域ブランドアイデンティティ策定に関する一考察：プレイス論とブランド論の融合を目指して（特集 ソーシャルビジネスとマーケティング）」『マーケティングジャーナル』34（1）、一〇九―一二六頁、二〇一四年
間野義之「スマート・ベニュー：スポーツを核とした街づくり（特集 スポーツによる地域開発）」『体育の科学』、65（2）、一一三―一一八頁、二〇一五年

column

しまなみ海道サイクリングを計測する

林 恭輔

しまなみ海道は、島々を結ぶ橋に自転車歩行者専用道を併設しており、ほかの地域とは差別化された魅力的な地域資源になっている。愛媛県は、二〇一三年頃から、これらを核としたサイクルツーリズムを積極的に推進し、ロードや標識の整備、サイクルオアシス（休憩・交流スペース）の設置など、官民によるサイクリスト向けの環境整備を進めてきた。現在では、観光情報も多く配信されるようになり、コースプランなども紹介され、初めての旅行者でも気軽にサイクリングを楽しめる観光エリアになっている。

このサイクリングコースの一つに、今治—尾道間の全長約七〇㎞のモデルコース（ＳＨＩＭＡＰ掲載）があり、このルートは六つの橋を渡って瀬戸内海を縦断する。一度は走破してみたいと思う人も多いのではないだろうか。ただ、サイクリング経験のない人の中には、ここを走破するにはどれくらいの体力が必要なのだろうかという心配から、二の足を踏んでいる人もいるだろう。景色を眺めながら快適な時間を過ごすためにも、若干の事前準備はしておきたいものである。

一般的にサイクリングコースの事前把握には、Ｇｏｏｇｌｅマップやｓｔｒａｖａなどの無料ウェブサービスおよびソフトウェアを利用して、距離や高度の情報をチェックする。しかし、この情報を自分の体力と照合して、所要時間を推測するには、それなりの経験を要することは言うまでもない。一般社団法人しまなみジャパンのホームページには、今治—尾道間を上級のモデルコースとし、所要時間四～一〇時間と記されている。[1]日常の中で平地をのんびりサイクリングしたときの平均速度は、一五㎞／時程度であることから、七〇㎞のコースは、約四時間半で走破できることになる。しかし、坂道やコース後半での体力低下などを踏まえると、この試算は現実的で

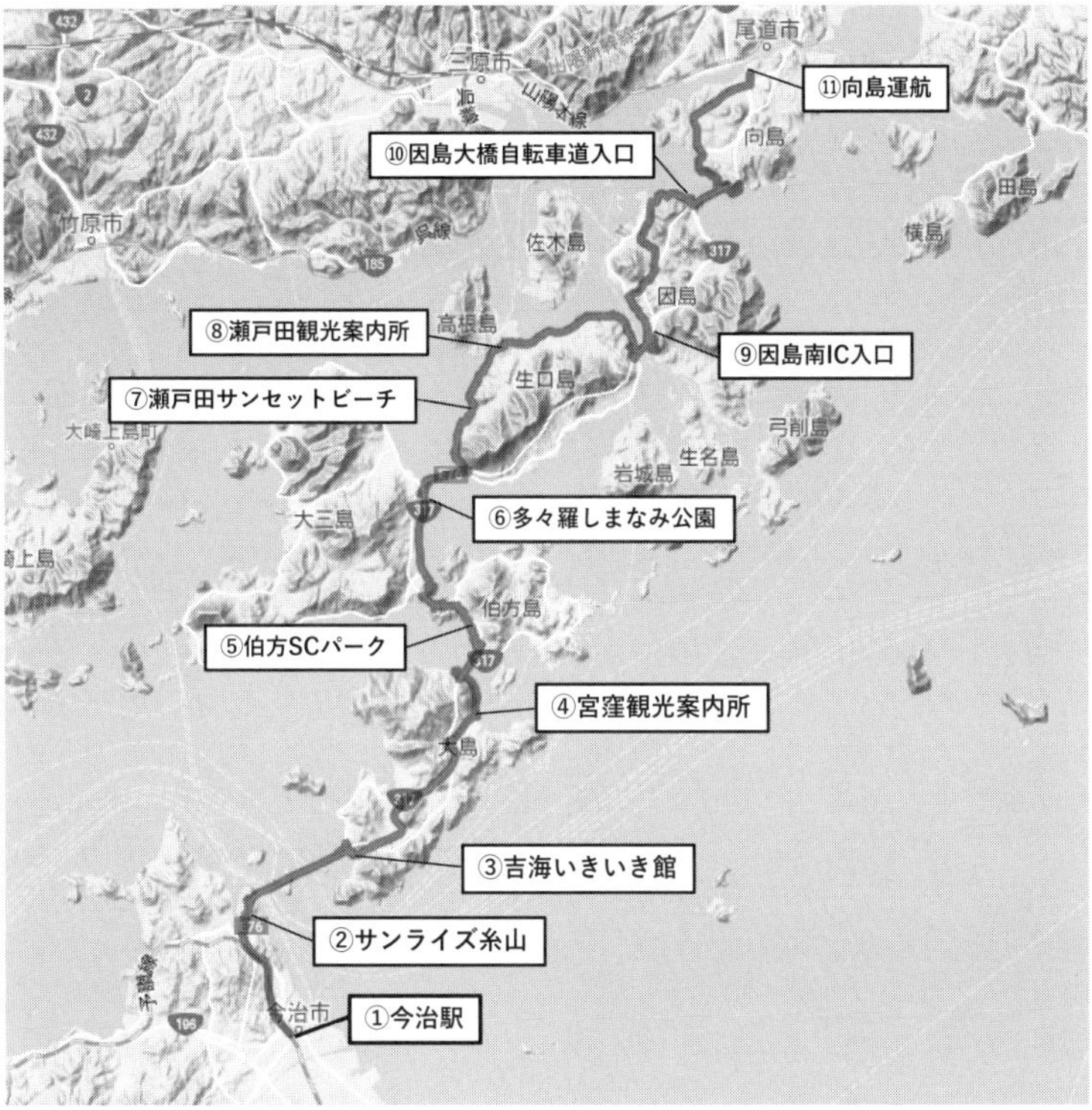

（Google map をもとに作成）

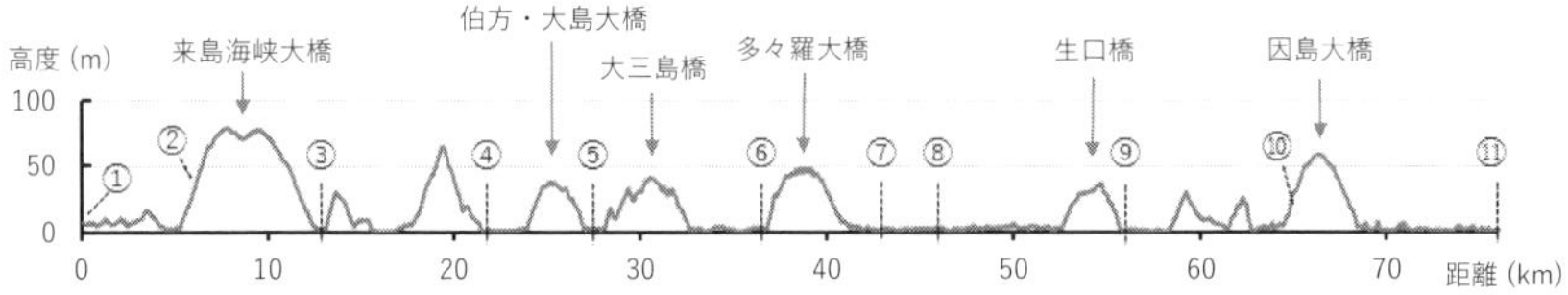

区間	①～②	②～③	③～④	④～⑤	⑤～⑥	⑥～⑦	⑦～⑧	⑧～⑨	⑨～⑩	⑩～⑪	合計
移動距離（km）	6.1	6.8	8.9	5.4	9.2	6.3	3.6	9.7	8.9	11.3	76.2
移動時間	27:52	29:33	41:06	25:17	41:24	32:05	16:33	47:59	44:26	50:33	5:56:48
平均速度（km/時）	13.2	13.8	12.9	12.9	13.4	11.8	13.0	12.2	12.0	13.4	12.8
高度上昇（m）	50	※ 40	98	※ 41	※ 61	※ 56	4	※ 47	80	※ 60	541
仕事量（kJ）	111	98	174	87	129	104	38	125	148	131	1145

計測区間①～⑩の位置は地図中に示した。※は橋を走行する区間を示す。ガーミン520J およびパワータップG3を使用して計測した。（GPS 情報は、GPX Editor を利用して表示した）

写真１　サイクリストの聖地碑（多々羅しまなみ公園にて）

写真２　来島海峡大橋（帰路の大三島—今治航路から）

はない。その点について、ゲストハウス・シクロの家の配信する情報によれば、経験則を踏まえて、このコースでのサイクリング初心者の平均速度は一〇㎞／時に設定されている。[2] したがって、今治—尾道間の約七〇㎞のコースは、七時間で走破でき、仮に所要時間を一〇時間として計画すれば、食事や観光などに三時間程度使える計算になる。

次に、もう少し詳細なデータを紹介する。前頁の表は、一般的なクロスバイクを用いて、コースを実走した時の計測結果を示している。走行区間は、今治駅を始点に、レンタサイクルポイントを含めて、一〇区に分けてみた。搭乗者は、サイクリング初心者で、景色を眺めながらのんびりと走行した。計測値をみると、移動距離は、七六・二㎞で、今治駅から橋の袂にあるサンライズ糸山の区間を除けば、七〇・一㎞になっている。移動時間はおよそ六時間で、各ポイント等での休息を含めれば、所要時間は七時間程度と推定される。平均速度は、全体で一二・八㎞／時になっているが、コース後半でやや低下していることもみてとれる。一例ではあるものの、表中の各区間の移動時間はプランを立てる上での目安になるだろう。また、補足資料として、高度上昇と仕事量の値も表に示した。高度上昇は、坂道を登った高さの総量を示したもので、仮に三m上がって、三m下り、また三m上がった場合には、上がった高さのみを加算して六mとして表示される。この値の高い区間は、重力に逆らって自転車を上方に運ぶので、平地に比べてペダルを強く踏む、すなわち体力を必要とする区間と考えられる。一方仕事量は、簡単に言えば、身体をどこまで運んだか（力×距離）を表すものである。移動距離が増えれば、ペダルを踏む回数が増えるし、高度が上昇すれば、ペダルを踏む力が増える（下り坂はペダルを踏まないのでゼロになる）。いずれも搭乗者がペダルを踏んだ（運動をした）量を反映しており、間接的にではあるが、搭乗者の消費エネルギーを表している。これらの点を踏まえて結果をみると、コース内で比較的体力を必要とする箇所は、③〜④（大島）と⑨〜⑩（因島）の区間であるとわかる。さらに、仕事量の観点からコースの中間点を考えてみると、総仕事量一一四五kJの半分にあたる五七三kJは、スタートから加算して⑤〜⑥区間で到達する。その位置は、大三島橋と多々羅大橋の間にある大三島辺りになる。移動距離の中間点が⑥〜⑦区間にあるにもかかわらず、体力的にみた中間点はそれよりもやや手前にあることから、前半がややつらいコースになっているといえる。

〔注〕

（1）しまなみジャパン　https://shimanami-cycle.or.jp/

（2）しまなみゲストハウス「シクロの家」　http://www.cyclonoie.com/

ブルーラインがサイクリングコースを案内する（愛媛マルゴト自転車道整備計画）。

愛媛の食
――郷土料理からB級グルメまで――

市川虎彦

はじめに

現在の愛媛県の地は「伊予八藩[1]」と呼ばれたように、江戸時代には八つの藩が分立し、そこへさらに天領が散在するという状況であった。近代以降は、東予（新居浜市・西条市・今治市が中心）・中予（松山市が中心）・南予（宇和島市・大洲市・八幡浜市が中心）に三区分するのが標準的な地域区分となっている。地勢の面からも、東中予と南予は異なる。愛媛県には、日本最大の活断層である中央構造線が走っている。この中央構造線は東から西へ、四国中央市、新居浜市、西条市、東温市から砥部町を抜け、伊予市で海に潜って海底活断層になっている。地理学では、この中央構造線の北側を内帯、南側を外帯と呼んでいる。

（1） 東から西条藩、小松藩、今治藩、松山藩、大洲藩、新谷藩、宇和島藩、吉田藩。なお新谷藩は大洲藩の支藩、吉田藩は宇和島藩の支藩。

内帯には松山平野や道前平野などが形成されているため、東中予には平地が開けている。一方、外帯には四国山地が形成されており、全体的に山がちの地形になる。南予は全域が外帯に属しており、そのため変化に富んだ地形となっている。山地の中に大洲盆地、宇和盆地、野村盆地、鬼北盆地などが存在し、宇和海沿岸にはリアス式海岸が形成され、入り組んだ複雑な海岸線を形づくっている。

こうした歴史的背景や地理的条件によって、愛媛県は各地域の文化的、風土的独立性が強い。そういうこともあって四国の他の県と比較して、香川県の讃岐うどんや高知県のカツオのたたき、皿鉢料理のように、県外の人でもその県を代表する料理として想起するような印象的な料理に欠けているように思われる。とはいえ、愛媛にも今日まで伝わってきた郷土料理があり、その地域ならではのご当地料理も存在する。それらの特徴、来歴、挿話を以下に述べていくことにする。

1　愛媛の郷土料理――「創られた伝統」

愛媛の郷土料理として代表的なものは、じゃこ天であろう。原料は小魚のホタルジャコ（ハランボ）が中心で、頭と内臓を取り除いた上で、骨や皮ごとすり潰して、横広の小判型の平たい形に整えてから油で揚げたものである。断面は灰色をしている。骨ごとすり潰しているためか、食べると少しじゃりじゃりした食感があるのが特徴である。これは、南予地方の海岸部の特産品で、宇和島市や八幡浜市に製造所がいくつもある。南予地方の高齢の方が、「小魚の骨や皮までたべなければならなかったということで、それだけ貧しかったということだ」と述べていたのを聞いたことがある。そうした南予の地理的条件に根差した食品であると言えよう。

現在、じゃこ天は南予に限らず、愛媛県中のスーパーマーケットで購入でき、空港の売店でも販売されている。宇和島市の道の駅「きさいや広場」では、じゃこ天の揚げたてを食べることができる。揚げたては、身がふくらんでおり、ひときわおいしく感じる。八幡浜駅前の谷本蒲鉾では、じゃこ天の製造体験もできる。

南予の人にとって、じゃこ天は食卓になくてはならないもののようで、おでんやみそ汁に入れるのをはじめとして、様々な食べられ方をするという。食堂でも、うどん、そばは言うに及ばず、ラーメンの具として使っている店舗も存在する。

写真1　じゃこ天ラーメン

愛媛ならではの料理で見た目の豪華さは、なんといっても鯛そうめん（たいめん）であろう。醤油、砂糖などで、鯛の尾頭つき一尾をまるごと煮る。この煮汁に出汁を加えて、ゆでたそうめんにかける。その上に、煮た鯛がそのまま乗るものである。これも基本的には宇和島（南予）地方の郷土料理である。

南予の郷土料理としてもう一つ、「さつま」と呼ばれるものがある。これは、白身魚を焼いて身をほぐしたものと焼いた麦味噌をすりあわせて、だし汁でのばしたドロドロの液体を、温かい麦飯にかけて食べるものである。同じものを、南予地方でも「冷や汁」と呼称する地域もあるそうである。魚を用いる料理なので、漁師が船上で食べていたのが始まりという伝承がともなっている。魚をすりあわせているので当たり前なのだが、ドロドロしたかけ汁に魚の風味が混じり、人によって好き嫌いは分かれるだろう。

さつまと同じく魚をつかった郷土料理としてひゅうが飯が、南予にはある。魚の刺身と溶き卵、出汁（ないし醤油）を混ぜて、ご飯にのせて食べるものである。宇和海沿岸でイワシ漁が盛んだった終戦後から一九五〇年代にかけては、イワシを用いることが多かったようである。(2) その後、アジが主流になっていったという。ひゅうが飯も、地域によって呼び名が変わり、津島町では「六宝（ろっぽう）」と呼ばれている。これは、魚・卵・胡麻・葱・醤油・生姜の六つの味から成るためと説明されている。

「薩摩」といい、「日向」といい、九州の旧国名がついているのがおもしろい。(3) 南予の人たちにとって、九州を想起させる料理であったのだろうか。「ひゅうが」は水軍の根拠地で日振島がなまったものという説もあるけれども、信憑性はない。あじ（鯵）めしを提供している店舗が西予市三瓶町に、六宝を提供している店舗が宇和島市津島町にそれぞれ存在している。

このひゅうが飯の系譜に連なると思われる鯛めしが、今では南予地方、特に宇和島の郷土料理の代表格になっている。東中予の炊き込みご飯風の鯛めしと区別するために、「刺身風鯛めし」と呼ばれたり、「宇和島鯛めし」と呼ばれたりしている。鯛を、生卵を溶いただし汁に入れて、海藻類や薬味とともにご飯にかけて食べるものである。かつて、宇和島の料理店で鯛めしを注文すると、店の人から必ず「食べ方はわかりますか」と言われた。

(2)『えひめ、その食とくらし』二一五頁。

(3) ちなみに、アジ、サバ、ブリなどの刺身を、醤油、酒、味醂、生姜、ゴマ他を合わせたタレに漬け込んでから食べる大分の郷土料理は、「りゅうきゅう」と称される。

写真2　鯛めし

写真3　鯛めし

さて、『日本の食生活全集38　聞き書愛媛の食事』は、「昭和初期に食事つくりにたずさわって」きた主婦を中心に調査して執筆されており、「大正の終わりから昭和の初めころの愛媛県の食生活を再現したもの」が収録されている。(4) じゃこ天、さつま、ひゅうが飯、たいめん、ふくめん、丸ずしなどは、当時から存在していたことがわかる。ところが不思議なことに、鯛めしに関する言及がまったくないのである。今、鯛めしは、古くから伝わる南予郷土料理の王様のような扱いをされている。しかし、その発祥は意外に新しいのではないかと思われる。鯛の養殖が宇和海で始まったのが一九六〇年代である。鯛が安定供給されるようになって以降、宇和島市内の料理屋で魚を用いる料理が改良、洗練されて鯛めしが生まれたと考えられる。(5) それが古くから存在する漁師めしであるかのように喧伝されるのは、一種の「創られた伝統(6)」だというと大袈裟すぎるだろうか。

ふくめんは、千切りにして味つけしたこんにゃくの上に、紅白に色づけされた魚のソボロとねぎ、みじん切りにしたみかんの皮を敷きつめたものである。四色の三角形が現れるので、見た目が華やかな郷土料理である。こ

(4)『聞き書愛媛の食事』三二六頁。

(5) 愛媛の地域文化に造詣が深い土井中照氏は「郷土料理の本を見ると、昭和五十年代の南予編には「鯛めし」の文字は見当たらず、「ひゅうがめし」と紹介しています。ところが昭和六十年代に入ると「鯛めし(ひゅうがめし)」となっています」と記しており(『愛媛たべものの秘密』四七頁)、鯛めしが新しいものであるとの見解を示している。

(6) エリック＝ホブズボウムの概念。長い歴史の中で培われ伝わってきたと思われている儀礼や文化の中には、実は近代以降に創造されたものが多く含まれているとされ、そのような事象を指して言う用語。

んにゃくを覆い隠すので「ふくめん（覆面）」と呼ぶなどの言い伝えが、こちらにもある。ほんとうのことなのかはわからない。

また南予ではサメが食べられており、ふかの湯ざらしという。サメ（フカ）を湯通しし、水にさらして酢味噌で食べるのが通常である。

丸ずしは、すし飯の代わりにおからを使い、酢でしめた魚を巻いて握ったもので、いわば代用食品である。宇和海でイワシが多く獲れた時期はイワシを用いたようである。水田の適地に乏しかった南予の風土を反映したものといっていいであろう。同じような料理を東中予では「いずみや」と呼ぶという。

南予地方は、地理的、地形的に隔絶した地であったので、伝統的な料理が残りやすかったのかもしれない。また、鯛めしのように現代風に革新されていることも大きいと思われる。「愛媛の郷土料理」といったとき、南予のものが多くを占めている。

2　東中予の炊き込みご飯あれこれ——洗練化と商品化

東予地方と中予地方では、蒸しあがった鯛の身をほぐしてご飯に混ぜ合わせたものを鯛めしと呼ぶ。宇和島の鯛めしと区別するために「炊き込みご飯風鯛めし」であるとか「松山鯛めし」であるとか呼ばれる。こちらは『聞き書愛媛の食事』にも、「いお飯」として登場する伝統食である。[7] そこには「ぶつ切りにしたたいの切身をのせて炊く」とある。現在、飲食店で提供されるものの中には、鯛を一尾まるごとご飯の上に敷いた昆布にのせて

（7）『聞き書愛媛の食事』三二六頁。

炊き上げているものがある。できあがったときの見栄えがいいので、テレビの情報番組でとりあげられる定番となっている。今治駅では、鯛めし弁当として駅弁が販売されている。

もう一つの松山名物である醤油めしは、ニンジン・ゴボウ・里芋・こんにゃく・シイタケ・松山揚げ(8)などを米に混ぜて炊いた、文字通りの炊き込みご飯である。『えひめ、その食とくらし』にも現れ、日常的に食べられていたことがわかる。(9)これは松山駅で、駅弁「松山名物醤油めし」として今に伝えられている。駅弁は、炊き込みご飯を土台に、錦糸卵、山菜、タケノコ、鶏肉などが乗っており、商品化の過程で洗練されたものになっている。いったんは製造元の廃業で販売が途絶えた。しかし別の業者の手で復活している。かつては駅構内に販売所があったけれども、それはなくなっており、駅に併設されたキヨスクで売られている。

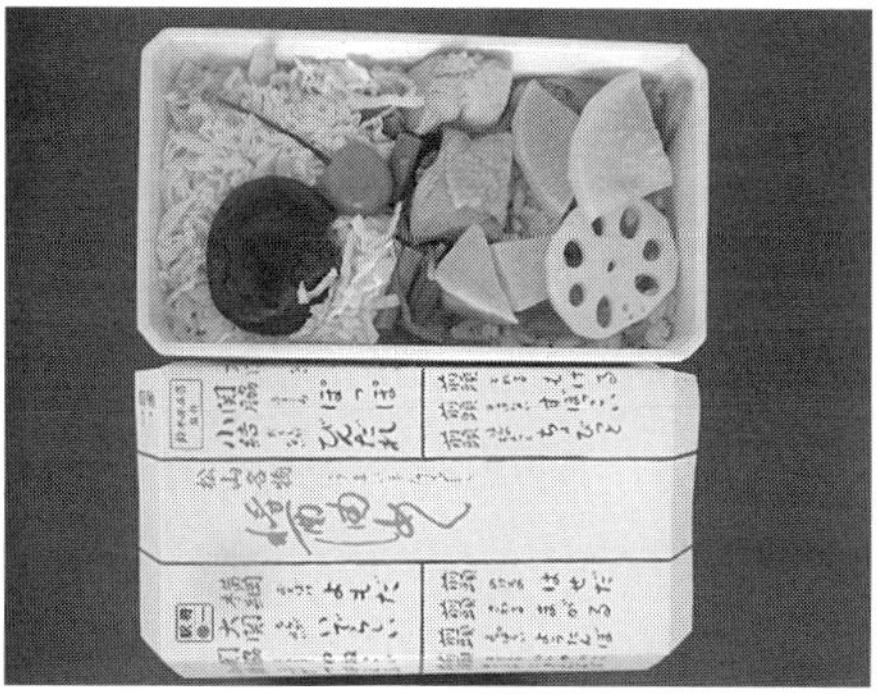

写真4　駅弁　醤油めし

『えひめ、その食とくらし』では、たこ飯についても言及されている。(10)重信川河口付近の松山市今出では、今でもたこ漁が行われている。一九六〇年代には、納涼台を置いたたこ飯小屋が数軒できていたようである。現在でも、夏季限定で海の家のような建物で、たこ飯を出す店舗が今出港近くに存在する。建物は風情があり、ある年代以上の人には郷愁を誘うたたずまいである。たこ飯の他に、たこの刺身、たこ天、酢だこ、あえものと、たこ尽くしの料理を味わえるということで、夏の風物詩となっている。

(8)　油揚げの一種で、松山の特産品。通常の油揚げよりも水分を抜いてから油で揚げる。

(9)　『えひめ、その食とくらし』一七〇頁。

(10)　『えひめ、その食とくらし』一八二〜一八三頁。

郷土料理といっても、実は食材や料理法が限られていた時代の、しかも社会全体が貧しかった頃のものであるので、あまりおいしいとはいえないものも多い。(11) これら東中予の炊き込みご飯系は、時代にあわせて工夫と洗練の度を高めることによって、今日でも食べられる料理となっている。

3　愛媛の地域固有食（ローカルフード）――まちづくりと都市伝説

一部の文化人に限られていた食べ歩きを、一般の人が行うようになったのは一九八〇年代に入ってからであろうか。「グルメ」なる言葉が人口に膾炙するようになったのもこの頃だと思われる。美食が大衆化する一方で、安くておいしい料理をさす「B級グルメ」という言葉も誕生する。B級グルメの概念の普及を後押ししたのは、文春文庫ビジュアル版の「B級グルメ」シリーズであろう。その最初のものである『スーパーガイド東京B級グルメ』が刊行されたのが一九八六年である。

二〇〇〇年代に入ると、地域独自の一風変わった料理に照明があたるようになる。そうしたご当地グルメの祭典であるB―1グランプリの第一回大会が開催されたのが二〇〇六年である。この催しで上位に入った料理を目当てに観光客が訪れるようになったという話が流布するにしたがって、各地で地域固有食の発掘が始まった。

このご当地グルメブーム以前に、愛媛県では今治の焼鳥が有名になっていた。これは、今治市内在住の地域文化研究家(12)の活躍によるところが大きい。人口当りの焼鳥屋の数が多

(11) たとえば東予地方の郷土料理である「イギス豆腐（イギスという海藻を用いてつくられる）」など食べないと、学生は述べていた。

(12) 土井中照『やきとり王国』参照。「やきとり日本一宣言」につながった土井中照氏の著書『やきとり天国』は現在絶版である。しかし、インターネット上でその内容を閲覧することができる。

写真5　今治焼鳥調理場

写真6　焼豚玉子飯

いことから、はや一九九九年に「やきとり日本一宣言」を行っている。焼鳥屋の軒数が多いだけではなく、今治の焼鳥にはある特徴がある。具材を串に刺さずに鉄板の上におき、「肉押え」なる専用用具で上から押さえつけて焼き上げるのである。他に例をみない調理法であることもあって、全国七大ご当地焼鳥[13]の一角を占めるとされる。最初にカリカリに焼き上げた皮から出てくるのが、今治風である。「鉄板焼になったのは、造船の町であったがゆえに鉄板がゴロゴロしていたかららしい」というのは[14]、話として面白いけれども都市伝説の類である。昭和の合併前の今治はタオルの町で、造船業が立地しているのは旧波止浜町や旧波方町である。

今治市において、ご当地グルメブームに刺激を受けて、脚光を浴びるようになったのは焼豚玉子飯である。こちらは来歴が比較的はっきりしており、市内の中華料理店のまかない料理が店の料理に格上げされ、市内の他の店に伝播していったというのが定説である。ご飯に焼豚をのせ、その上に半熟の目玉焼きを置いて、専用のタレをかけまわすという料理である。市内約六〇店舗で提供されているとされ、高い集積性を持っている。まちお

(13)　美唄市・室蘭市・福島市・東松山市・長門市・今治市・久留米市とされている。

(14)　野瀬泰申『食は「県民性」では語れない』六六頁。

写真7　八幡浜ちゃんぽん

写真8　揚げ足鶏

こしの一環として、提供店の地図が作成されている。また、専用のタレが県内のスーパーマーケットで販売されている。焼豚玉子飯には、せっかちな今治市民に素早く提供できるこの料理がうけたという理由づけが存在する。

　ご当地グルメがブームとなるなかで、市をあげて名物として売り出そうとしたのが八幡浜ちゃんぽんである。かつては海上交易、繊維産業、水産業の街として繁栄した八幡浜市も、戦後は一貫して人口が減少し、寂れてしまった印象は免れない[15]。そこで、少しでも賑わいを取り戻そうという市民や行政の動きが現れたのである。長崎のちゃんぽんは、豚骨を主体とした白濁濃厚スープであるのに対し、八幡浜ちゃんぽんは鶏がら中心の淡い色合いのスープで、あっさりしている。麺は長崎よりも細目で、具は野菜と豚肉というのが普通で、長崎のような魚介類は用いられない。であるから、「ちゃんぽん」といっても、長崎のものとはまったく別物である。宇和島市内にも、八幡浜のちゃんぽんと同様のものを出す店が存在するので、南予地方の海岸部で独自にひろがっていっているのかもしれない。八幡浜市内の店で共通の幟や店舗

(15)　拙稿「港湾都市の政治―八幡浜市」『保守優位県の都市政治』参照。

の位置を記した地図が作成されて、観光客の呼び込みを図っている。

製紙業のまち・四国中央市の揚げ足鶏は、鶏の骨付きもも肉を油で揚げたものである。ガーリックパウダーをふりかけて食べる。ファストフードのフライドチキンと異なり、皮がパリっと仕上がっている。四国中央市内の店舗地図が作成されている。同じ鶏の骨付きもも肉を用いた料理としては、お隣香川県の骨付鳥[16]と比べると知名度はかなり劣るのが現状である。しかし、近年では松山市内の店舗でも提供するところが出てきている。

写真9　三津浜焼き

三津浜焼きは、松山市の三津浜港周辺に提供する店が集積している。広島風お好み焼きの変形である。広島風は卵、そば、キャベツ他の具、生地が段重ねになる。三津浜焼きの方は同じような材料を用いてつくり、最後に二つ折りにするので半月形でお客に提供される。三津浜地区は人口が減少していて、商店街も寂れている。三津浜焼きはまちおこしの起爆剤として期待が寄せられ、共通の幟、店舗地図等が用意された。

どこにでもあるものなのだけれども、松山の一つの名物とされているのが鍋焼きうどんである。器にアルミ鍋を用いているのが特徴である。アルミ鍋形式の鍋焼きうどんは市内に点在している。市内中心部の鍋焼きうどん専門店は、映画「がんばっていきまっしょい」[17]のロケに使われたことでも有名である。うどん自体は、讃岐うどんの対極で、コシがまったくないので好みがわかれるところではある。出汁は、松山特有の甘みのあるも

(16)　香川県丸亀市が発祥の鶏料理。鶏のもも肉をまるごと香辛料で味つけして焼き上げている。親鳥と若鳥の二種類がある。

(17)　一九九八年日本映画。原作：敷村良子・監督：磯村一路・主演：田中麗奈。その年のキネマ旬報ベストテン三位に選出された。ボート部を立ち上げた女子高生たちの話で、愛媛県内でロケが行われている。

写真10　鉄板ナポリタン

のである。甘い味付けのものが多いのは、松山の特徴かもしれない。味噌汁も甘い。かつて松山大学の近くにあったラーメン店のスープも甘く(18)、東京から赴任した当初、同期入社の教員間で話題になった。

　ご当地料理として、愛媛県内でも最近になって名乗りを上げたのが、西条鉄板ナポリタンである。西条市は、「うちぬき」と呼ばれる自噴泉で有名な水の街である。鉄板に溶き卵が流し込まれて半熟状になった上にスパゲッティのナポリタン（ケチャップ味）がのるものである。全国的には「なごやめし(19)」の一つとして認識されていると思われる。西条に伝わった経緯はわからない。西条市内の主として喫茶店で提供されてきたようだ。市役所が中心になって名物料理として広めていこうと動いた。そしてこちらは、西条人がおっとりしていて、ゆっくりと食事をするので冷めにくい鉄板皿となったという伝説つきである。もちろんなんの根拠もなく、後付けである。それはともかく、市の観光物産協会にて店舗地図が作成されている。

　この地域固有食は、店舗が集積し、現在でもその地域の人々に好まれている。味の点では、そういう意味で人々に受け入れられるものである。これをまちづくりに活かそうとなると、怪しげな謂れが語られるようになるところがおもしろい。まちづくりには、ものがたり性が必要なのであろう。

(18)　甘みのあるスープを出すラーメン店は店名に「瓢」がつくので、地元の一部には「瓢系ラーメン」と呼ぶ向きもある。しかし、「瓢系」と称するほどの店舗の集積はない。

(19)　名古屋の特徴的な料理群（味噌カツ、味噌煮込みうどん、きしめん、あんかけスパ、小倉トースト、台湾ラーメン、ひつまぶし等）を総称する言葉として用いられるようになった。

4　創作系ご当地料理の登場

どの地域にも都合よく、独自の食文化があるというわけにはいかない。なければつくってしまえというのが、創作系のご当地料理である。そのような試みが愛媛県内にもある。その一つが、今治市に属する伯方島の伯方の塩ラーメンである。もともと伯方島には、自然塩保存運動[20]から生まれた「伯方の塩」の工場が存在した。そこで、ご当地料理として塩ラーメンが創り出された。ご当地料理ブームがくる以前の九〇年代末の話である。個店の動きだったので、時期的に早かったと思われる。

写真11　イマバリラーメン

ご当地料理ブーム到来とともに産み出された創作系の代表例は、イマバリラーメンである。今治市の市民グループ「バリブロ会」[21]で市の新しい名物をつくることが発案され、その結果創り出されたのがイマバリラーメンで、二〇〇九年八月に完成をみた。魚介類で出汁をとった塩ラーメンで、具には焼鳥のまちを象徴させる鶏肉や島嶼部の特産品であるレモン[22]をつかっている。

大山祇神社[23]がある大三島では、地元の店舗と有志で大三島ソースオムそばを創り出した。ソースオムそばとは、オムライスのご飯が焼きそばになったものである。

(20)　一九七一年の塩業近代化臨時措置法により、製塩はイオン交換膜法に全面的に切り替わった。これに反対したのがこの運動であり、その中から伯方塩業が設立された。伯方塩業大三島工場は、工場見学を受け付けてくれている。

(21)　今治市内でインターネットのブログ（日記形式のホームページ）を開設している人々によって二〇〇八年六月に発足した会。ブログによって今治市に関する情報発信をし、今治市を活性化していこうという意図の下に会は運営されている。拙稿「今治市の中心商店街の現状と再生への取り組み」参照。

(22)　今治市の島嶼部の他に、上島町の岩城島がレモンの産地として、愛媛県内では知られている。ブランド化やレモンを用いた食品製造の試みがみられる。本書「愛媛県の酒造業と飲酒文化」「意外とすごいぞ、愛媛の畜産」参照。

(23)　本書の「芸予諸島と海賊」参照。

また、じゃこカツバーガーなるものも創り出されている。そもそもじゃこカツ自体が新しいものである。じゃこ天の原料と同じホタルジャコなどのすり身に、ニンジン、ゴボウ、玉ねぎなどのみじん切りを加えて味を付けた上で、パン粉をまぶして揚げたものである。すり身だけのじゃこ天と異なり、具を加えているので食感が柔らかくなっている。県内の飲食店で、じゃこ天と並んで品書きに加える店舗も増えている。それをさらにハンバーガーのバンズで挟んだものがじゃこカツバーガーで、二重の創作である。カレーやハンバーガーは、全国的にも創作系が出現しやすい領域である。

創作系ご当地料理には、店舗の集積がみられないのが現状である。名物となるには、まだ時間がかかる。その間に自然淘汰されないかが問題である。

5　待たれる地域ブランド化――「宇和島料理」の可能性

どうも愛媛は、ブランド化の技量に劣っている。愛媛の人自身が、豊予海峡のアジ・サバが大分側にあがると高級ブランドの関アジ・関サバとなるけれども、愛媛側にあがると知名度の低い岬（はな）アジ・岬（はな）サバになってしまうと、自嘲的に言う。大洲市長浜町が天然フグの名産地[24]であり、伊予市双海町のハモの漁獲量が全国有数であることが[25]、どれだけ知られているであろうか。

今、松山市中心部のロープウェイ街[26]は、宇和島鯛めしを出す店が軒を連ねている。昼食時には観光客の行列ができている店もある。鯛めしが、全国の人に受け入れられつつある

(24)　今でもフグ料理店の集積がみられる。

(25)　秋に「しもなだ鱧まつり」が開催されている。なお、JR下灘駅は自称「海に最も近い駅」で、映画・ドラマのロケも行われている。鉄道ファンから人気の駅である。本書「東中南予の鉄道遺産を巡る」参照。

(26)　松山城がある小山を登るために設置されたロープウェイの乗車場が存在する商店街。場所柄、観光客の姿も多い。

と言える。かつて、鯛めしは宇和島に行って食べるものであったから、このことが宇和島にとっていいことなのかどうかは微妙なところがある。(27)第一節でみたように、宇和島地方には様々な伝統的料理が今に伝えられている。かつては祭礼や婚礼の際に、これらの料理を並べる見た目も豪華な鉢盛料理がふるまわれたという。しかし、これまた高知県の皿鉢料理が全国的に著名であるのに対して、鉢盛料理を知る人は少ない。薩摩料理や長崎料理のように、宇和島料理ないしは南予料理という名称が確立し、愛媛を訪れた人々が宇和島まで足をのばして食べる料理群(28)となる日が来るのを望みたい。

(27) 二〇〇〇年代末には松山市内の飲食店が、「活き鯛めし」の名称で、宇和島鯛めしをあたかも松山の郷土料理であるかのように売り出して物議をかもす一幕もあった。

(28) 安田亘宏『食旅と観光まちづくり』(七三頁)によれば、二〇〇八年に郷土料理百選選定委員会が実施した郷土料理のインターネット人気投票の七位に宇和島鯛めしが、九位にじゃこ天が入っているそうである。

〔参考文献〕

市川虎彦「今治市の中心商店街の現状と再生への取り組み」鈴木茂・山崎泰央編『都市の再生と中心商店街』ぎょうせい、二〇一〇年
市川虎彦『保守優位県の都市政治』晃洋書房、二〇一一年
岩田光代編『伝統食の未来』ドメス出版、二〇〇九年
愛媛県教育委員会『えひめ、その食とくらし』愛媛県生涯学習センター、二〇〇四年
土井中照『愛媛たべものの秘密』アトラス出版、二〇〇四年
土井中照『やきとり王国』アトラス出版、二〇一三年
西村裕子「八幡浜ちゃんぽん／まちおこしの起爆剤に」関満博・古川一郎『「ご当地ラーメン」の地域ブランド戦略』新評論、二〇〇九年
「日本の食生活全集 愛媛」編集委員会『日本の食生活全集38 聞き書愛媛の食事』農山漁村文化協会、一九八八年
野瀬泰申『食は「県民性」では語れない』角川新書、二〇一七年
文藝春秋編『スーパーガイド東京B級グルメ』文春文庫、一九八六年
エリック＝ホブズボウム・テレンス＝レンジャー編『創られた伝統』紀伊國屋書店、一九九二年
安田亘宏『食旅と観光まちづくり』学芸出版社、二〇一〇年

column

愛媛の食文化と漁家女性

藤田昌子

「所変われば品変わる」愛媛の郷土料理の代表といえば、「鯛めし」がある。一九九〇（平成二）年よりマダイの生産量日本一を誇り、全国シェアの六割弱を占めている愛媛県では、マダイは県の魚に制定されており、身近な食材である。それを象徴するかのように愛媛には二種類の「鯛めし」が存在する。

愛媛は歴史的背景と地理的条件などから、東・中・南の三つに地域区分され、それぞれ東予、中予、南予とよばれている。松山や今治など中予や東予は、タイを一尾丸ごと釜や土鍋に入れ、醤油、酒、だしを加えて米とともに炊き込む「鯛めし」。炊き上がったら、鯛の身をほぐしてご飯にまぜ合わせて食べる。一方、宇和島市などの南予では、タイの刺身と生卵を溶かしたタレを使った「鯛めし」。タイの切り身を、醤油、みりん、だし、卵、薬味などを混ぜたタレに漬け込み、切り身を炊きたてのご飯にのせタレをかけて食べる。南予の鯛めしは「宇和島鯛めし」ともよばれるが、中予・東予の鯛めしと区別するための外向きの名称で、地元では単に「鯛めし」、または「ひゅうが飯」などとよんでいる。

また、愛媛には、地域で名を変える郷土料理がある。東予・中予では「いずみや」、南予では「丸ずし」とよばれている。米が貴重で手に入りにくかった時代に、すし飯の代わりに甘酸っぱく味付けたおからを用い、近隣で水揚げされた小魚（小ダイ、アマダイ、イワシ、アジ、サヨリなど）を酢でしめて、巻いて握ったものである。

愛媛には、豊富にとれるタイの美味しさを活かすため、地域性豊かな調理方法が生まれ、多彩な郷土料理がある。「鯛めし」「いずみや・丸ずし」のほかに、タイ一尾丸ごとだしで煮立て、ゆでたそうめんを盛りつけ、タイの煮汁をつけ汁やかけ汁として使用する「鯛そうめん」、タイなどの焼いた身に、焼き麦味噌、タイの骨でとった出汁、

写真1　東予・中予の鯛めし

写真2　南予の鯛めし

こんにゃく、薬味などをすり合わせた「鯛さつま」、タイを中心に新鮮な海の幸を焙烙鍋《ほうろくなべ》で蒸し焼きにする「法楽焼き」、タイの頭をコンブにのせて酒を注いで蒸しあげた「骨蒸し」、塩田の塩釜から取り出したばかりの熱い塩の中にタイを入れて蒸し焼きにしたのが最初とされる、タイを塩蒸しした「鯛の浜焼き」などがあり、タイが愛媛の食文化を支えてきたことがよくわかる。

瀬戸内海と宇和海に囲まれ、マダイ、ブリ、タチウオなど豊かな海の幸を生み出している愛媛でも、他の漁村地域と同様、魚価の低迷や生産コストの増大、水産資源の減少などの要因を背景として漁獲量や所得が減少し、後継者不足や雇用の減少といった水産業の不振が続き、過疎化や高齢化などの課題を抱えている。こうした状況のもと、漁家女性の最も基本的な組織である漁業協同組合女性部（以下、女性部とする）も、部員数の減少や活動の停滞により解散の危機に遭遇しているが、漁家女性のパワーで自分たちの活動や地域を元気にしている県内女性部の一つを取り上げ、紹介する。

女性部員たちは、「魚をもっと食べてほしい」「養殖魚のことについてもっと知ってほしい」「規格外魚や端材など魚を有効活用したい」「地域をもっと理解してもらいたい」「地域の知名度を上げたい」などの想いから、地域資源（養殖タイやブリ、ヒジキなど）を活用した加工・移動販売事業を始動した。

タイやブリなどの加工品の開発・販売は、多くの女性部などが既に手掛けており、ありきたりの鯛めしやお魚バーガー、海藻の加工品では独自性を打ち出すことが難しい。女性部は、漁協組合員たちが養殖したタイやブリなどの規格外魚や加工場から出る端材を有効活用し、愛媛県内の教育機関（短期大学、水産高等学校、専門学校）、企業、旅館、レストランなど様々な専門家と協働して開発を行ってきた。しかし、協働で開発したものをそのまま商品化するのではなく、地域の食文化（麦味噌文化）や食材（地産地消）、女性部のポリシー（食の安全性）にこだわり、女性部流の付加価値を高め、差別化を図ることに成功している。さらには、地域の特色を表すデザインの開発を行い、このデザインを販売活動にかかわるキッチンカー、商品のパッケージ、持ち帰り用袋・箱、ユニフォーム、ポスターなどの全てで用いることで、あらゆる場面で地域を感じとれるようになっており、一貫して地域ブランドをPRすることが可能となった。このキッチンカーでの対面販売を通じて地域資源や地域そのものの価値を伝え、養殖魚のイメージアップと地域のPR活動につなげており、地域に存在する社会問題の解決やニーズの充足という「社会的価値」を生み出している。その他にも、社会的価値を生み出す活動として、地元の保育園での給食食材（タイやブリの切り身）提供、地元の小中学校での郷土料理実習、高齢者福祉活動などがある。

また、加工・販売活動は、従来ボランティアとして無償で行ってきたが、新生女性部では時給制を導入したことで収入の増加にもつながっており、付加価値生産という「経済的価値」もみられるようになった。

さらには、自分たちが作った加工品が売れ、その味を消費者に評価されたり、加工品が地域の特産物として広く知られるようになったりすることで喜びや達成感を感じ、また高齢者や地域の人などに喜んでもらえることで、やりがいを感じるようになった。そして、活動に対して社会的に高評価を受けることでさらに自信ややりがいを深めるようになり、QOL（生活・人生の質）の向上という「生活・人生的な価値」も生み出している。

このように、漁家女性の地域や地域産業の課題にも取り組んできた多岐にわたる活動は、「経済的価値」「社会的価値」「生活・人生的な価値」を生み出しており、「住み続けたい」「住み続けられる」地域づくりの主体として、漁家女性は地域活性化に貢献しているといえるだろう。

ルーラルデザイン
――石積みから地域の特性を探る――

笠松浩樹

はじめに

風土に基づいて発達してきた生業と暮らし

ルーラルとは、田園や田舎を意味する。農山漁村とも表現でき、そこに地域ならではの生業や暮らしが存在している。農村、山村、漁村ごとに人々の営みの共通項はあるが、基本的には土着性に基づいているために細かい差異がある。例えば、愛媛県の農山漁村でも、東予地域の四国中央市は紙の流通によって発達した。中予地域の奥に位置する久《く》万《ま》高原《こうげん》町では冷涼な気候を活かした野菜栽培が盛んであり、温暖で積雪がほとんどない南予地域では柚や栗の栽培が盛んである。

土着性の根本は何であろうか。一つの見方として、それは地質、地形、気候であると考えられる。これらの微細な違いに適して植生が発達し、さらにその環境を選択した動物が棲む。人々の暮らしもまた、これら風土に合わせて発達してきた。

デザインの定義

デザインとは、自然や人の営み、芸術などの美しさを根源とした計画的な行為全般を指す。その意味には、設計、美術、意匠などが含まれ、近年ではオブジェクト、回路、パターン、まちづくり等にまで対象が広がっている。幅広い分野で使用されている概念であるが、本章では機能美と位置づけたい。周囲の環境に合わせて変化させた動植物の形質は、生き抜くために洗練された機能が備わっている。人々の暮らしもまた、無駄なく良く暮らすために変化を積み重ねてきたと考えられる。ここでは、このような機能や作法がつくる造形をデザインとして掘り下げていくこととする。

ルーラルデザインとしての石積み

人々が風土の中で作り上げてきた造形の一つとして石積みを取り上げる。農山漁村にごく普通に見られる石積みは、基本的にはそこにある石を用いており、数百年にわたって崩れていないものがある。コンクリートよりも長年にわたってその形状を維持し、土地を守っており、構築物の完成形として評価できる。

石積みは、一見すると同じように見えるかもしれないが、場所によって多様性があることに気づく。そして、そこで使われている石の種類、積み方、何のために使われているのかを注意深く見つめた時に、どのような暮らしが息づいているのかを概観することができる。風土に機能が組み合わさり、暮らしの息吹が感じられる様は、まさにルーラルデザインの最たるものである。

1　愛媛の地質

三つの構造線と層状の地質

愛媛には三つの構造線[1]が東西に走っており、それに沿って異なる地質が層状に存在している。まずは図1でその状況を見ておこう（一）。

中央構造線の北側にある松山平野と東予地域は、第四紀層、和泉層群、領家《りょうけ》花崗岩《かこうがん》類が混在している。特に、今治市北部から島嶼部にかけての花崗岩は、切り出されて県内外の建築物の材料として重宝された。

中央構造線と御荷鉾《みかぶ》構造線の間は、主に三波川《さんばがわ》結晶《けっしょう》片岩《へんがん》類である。この地層から算出される石は青みがかっていることが特徴である。銅を多く含むため、かつては別子《べっし》銅山をはじめとして無数の銅山が存在していた。なお、石鎚山《いしづちさん》周辺は第三紀層であり、三波川結晶片岩類の下から噴出して形成されたものである。

三波川結晶片岩類の南から仏像構造線までは秩父古生界である。主に大洲《おおず》市南部から西予《せいよ》市の南限までが該当し、久万高原町と八幡浜市の一部もこれに属する。古い地層で砂岩、泥岩、チャートを主体とし、火山噴出物が含まれている。

（1）地層群や地塊の境界。断層またはその一部でもある。通常は大規模な境界・断層を指し、地質の構造を二つに分けている。

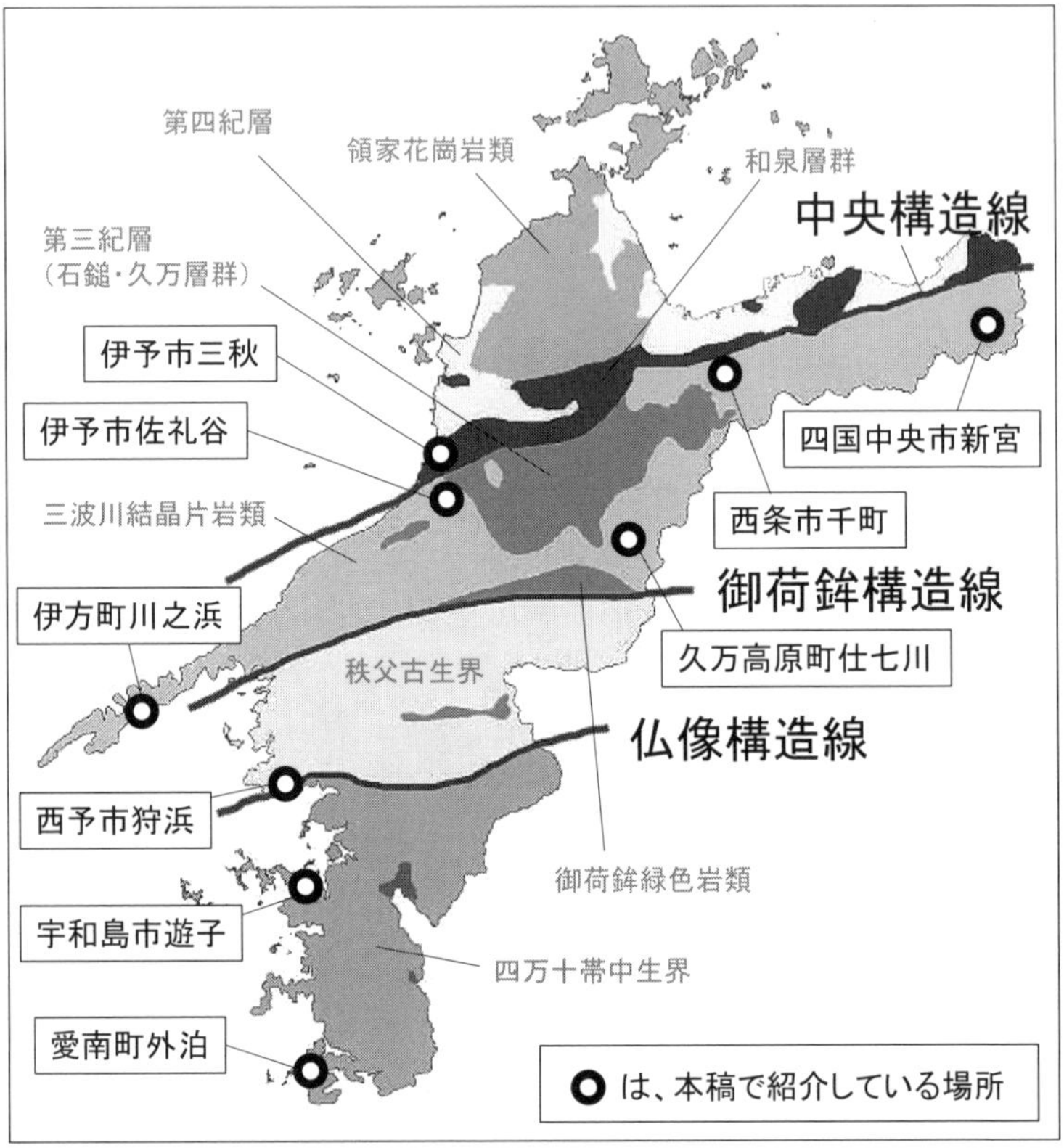

図1　愛媛県の地質と本章で紹介している石積み等の場所

愛媛県の南部にあたる宇和島市、鬼北町、松野町、愛南町は四万十帯《しまんとたい》中生界である。これも砂岩や泥岩から成る。宇和島市から南のリアス式海岸に開かれた段畑は、ここに該当している。

その土地の石を使った石積み

城壁や豪商の邸宅など、財力と人役をかけて築かれた石積みには、遠方から運ばれた石が使われている場合もある。しかし、田畑や一般的な農家と漁家に使う石積みの場合、重い石がわざわざ他所から大量に運ばれることはあまりなかったと推測する。よほどのことがない限り、それぞれの土地に元からある石が利用されたと考えた方が妥当であろう。

このことを念頭に、愛媛の農山漁村で見られる石積みを次で紹介する。石積みが持つ物語や、そこにある生業や暮らしを感じていただきたい。

2　三波川結晶片岩類の暮らしと石積み

銅山の衰勢と集落消滅

私が愛媛の地質と暮らしの関係で最も関心を寄せているのは、三波川結晶片岩類周辺である。前述のように、この地質には銅山が数多く点在しており、地誌や地元の古老の口伝からその物語をうかがうことができる。

西条市千町《せんじょう》には広大な棚田が広がっていた。現在は急激な過疎・高齢化の進行により、

図2　水田を囲む緑色片岩の石積み（西条市千町）

農業はおろか地域活動の担い手も激減している状況である。棚田には耕作放棄地が散見され、植林によって立派な杉の林になっている場所もあるが、元々の水田面積は四〇～六〇ヘクタールとも言われており、なぜこのような傾斜地に広大な水田を築き上げたのかが興味深い。

千町の始まりは、戦国時代に土佐から来た伊藤近江守祐晴が住み着いたこととされている。後の時代には地区の奥地に銅山が開かれ、棚田はそこへ米を供給する役割を果たしていたと伝えられている。愛媛に数多くあった銅山は戦後に役目を終えたが、千町も例外ではなく、雪崩のように人がいなくなったことは想像に難くない。現在はわずかばかりの水田が維持されている（図2）。

伊予市佐《さ》礼《れ》谷《たに》も、現在の集落の奥に銅山があったということである。最盛期には銅山集落に一〇〇〇人程度の住人がいたらしく、その規模の大きさがうかがえる。しかし、やはり閉山後は人がいなくなり、集落が消滅したとのことである。

このように、農山漁村で急激な人口増減の背景にあるのは、農林漁業だけではなく、鉱業の隆盛と衰勢にもよると考えられる。採掘が行われている間は仕事を求めて人々が集まり、資源がなくなると急速にいなくなる。愛媛で顕著な例は新居浜市の別子銅山である。江戸時代初期に開かれてから三〇〇年近くの間、銅山の周辺に産業と暮らしが形成されてきた。明治期に近代的な採掘方法が導入された最盛期には一万人以上が住んでいたが、一九七〇年代の閉山以降に激減しており、二〇一八年の旧別子山村の世帯数は九〇戸、人口一五〇人、高齢化率五七％である（二）。

石の積み方の差異

三波川結晶片岩類で見られる緑色片岩は、劈開《へきかい》（原子結合の弱い部分に沿って割れる性質）が顕著である。そのため、平たい板状になりやすく、住民達はその特徴的な形の石を生活の様々な場面で活用してきた。

平たい石が石積みにどのように使われているのかを見てみよう。大まかには、様々な大きさの石を重ねて積む乱積みと、規則的に斜め方向に並べる谷積みが確認できる。乱積みは大きさの異なる石であっても組み合わせが可能であるため、田畑や家屋の壁面で一般的に用いられている。図2の他にも、図3や図4（いずれも伊方町川之浜）で確認できる。谷積みは規則性があり景観美を有するが、一定の大きさの石を揃える必要がある。乱積みより手間がかかることから、公共施設や主要道路などで見かけることが多い。図5のように小学校の壁面（伊予市佐礼谷）や、図6の集落内を通る主要道路（伊方町川之浜）で目にすることができる。

緑色片岩は劈開の性質が強くて板状を成していても、研磨されたことによって丸みを帯びることがある。図7は久万高原町仕七川《しなかわ》の石垣であり、すぐそばの川で採れた丸みのある石が使われている。そのため、乱積みや谷積みではなく玉石積みとなっている。

図3　畑で一般的見られる乱積みの石積み（伊方町川之浜）

図4　急斜面に高く石を積み上げてつくられた段畑（伊方町川之浜）

図5　谷積みでつくられた小学校の石垣（伊予市佐礼谷）

図6　谷積みでつくられた道路の法面（伊方町川之浜）

図7　水流で丸くなった川石の玉積み（久万高原町仕七川）

茶の産地との関係

地質は植物の生育に影響を与えることから、その地質を好む作物が選択的に栽培されている。三波川結晶片岩類において特徴的なのは茶であり、産地がこの地質の上に点在している。例えば、四国中央市新宮町は愛媛で最も茶の生産が盛んであり（図8）、他にも久万高原町面河《おもご》地区および美川地区でも茶の生産が行われている他、同じ地質上にある高知県仁淀川町も同様に産地である。

3　石積みの景観と地域づくり

遊子水荷浦の段畑

瀬戸内海から宇和海にかけての沿岸部には、高度経済成長期頃まで棚田が広がっていた。山頂まで石積みによって築かれた畑が続いていたが、放置された現在はその大半が森林となっている。現存している石積みの中でも宇和島市遊子水荷浦《ゆすみずがうら》の段畑《だんばた》は圧巻である（図9）。この風景は、「未来に残したい漁業漁村の歴史文化財産百選」（二〇〇六年）に選定され、さらに「重要文化的景観」（二〇〇七年）にも指定されており、その景観に触れようとする観光客の往来も多い。

　遊子水荷浦に段畑が開墾されたのは江戸時代後期の天保年間であるとされており、同時期に伝わったサツマイモが段畑で栽培され始めた。しかし、石積みが築かれたのは明治期から大正期にかけての養蚕業の導入がきっかけであり、栽培される作物はサツマイモから

図8　四国中央市新宮町では茶の栽培が盛ん

図9　リアス式海岸に現存する段畑（宇和島市遊子水荷浦）

桑に切り替わっている。養蚕業は昭和初期に陰りが見え、遊子の主な収入は鰯漁となった。その頃から、段畑では再び芋や麦が栽培され、デンプンやアルコール用としての出荷や自給用として利用されるようになる。

この段畑を活用し、地元の地域づくり組織「NPO法人段畑を守ろう会」が活動を展開している。同会では、段畑の復旧、オーナー制度、段畑で生産されたじゃがいもの収穫祭と即売会、竹と蝋燭によるライトアップイベントを開催している他、芋焼酎「段爵」の製造・販売を行っている。また、遊子は鯛の養殖が盛んであり、同会が運営する「お食事処だんだん茶屋」では、新鮮な鯛をふんだんに使った郷土料理を提供している。

石垣の里　外泊

愛南町外泊《そとどまり》は、城壁のように高い石垣のある集落である（図10）。江戸末期から明治期にかけて隣接する中泊からの移住によって拓かれた集落で、台風や季節風を防ぐため、移住者の手によって石垣が築かれた。その景観は、「第三回日本の美しいむら農林水産大臣賞」（一九九四年）を受賞した他、「未来に残したい漁業漁村の歴史文化財産百選」（先述）と「美しい日本の歴史的風土百選」（二〇〇七年）にも選ばれている。

漁村の特徴である集住型の集落であり、隣接する家同士の間隔がほとんどない。集落内の通路は、人が歩いて進める程度の幅しかなく、海から山の方向へ上りの傾斜がある。家の敷地の段差は乱積みの石垣で形成されており、その上に住居が築かれている。二〇一八年の世帯数は三七戸、人口七二人、高齢化率四六％であり[二]、他所同様に人口減少が進行している。

集落の東西および南側の山間部には、かつて住居とともに石積みの段畑が広がっていた。しかし、周辺の農地は放置されて久しく、図11のように木が生い茂り、時代の移り変わりと自然の生命力が感じられる。

図10　石積みの中にある集落（愛南町外泊）

図11　放置された石積みが森に飲まれる（愛南町外泊）

海沿いの県道三四号線沿いに休憩所「しおかぜ」があり、まだ人が多かった頃と今の様子が写真で比較されている。また、集落内の中心部付近にある「石垣の里だんだん館」では、軽食や飲み物が提供されており、住民と来訪者が出会う拠点となっている。雛祭りの時期には「だんだん雛祭り」が開催され、石に描かれた雛人形が展示される。

狩浜の段畑

西予市明浜町《あけはまちょう》狩浜の段畑では、他の沿岸部同様に、江戸期から芋や麦、明治期の養蚕業の導入による桑の栽培が行われてきた。一九六五年頃に柑橘栽培が導入されて以来、半農半漁の暮らしから経済性を追求する農業に移行している。その中でも、一九七四年から狩浜を拠点に活動している無茶々園は有機栽培を推進しており、全国にファンが多い。また、現在の無茶々園は、狩浜で生産されたちりめんや真珠などの海産物、愛南町の農場の甘夏、松山市の農場の野菜や米などを取り扱っている他、老人ホーム併設型のデイサービスセンターを設立し、地域課題全般に対応している。

狩浜は仏像構造線上に位置しているが、秩父古生界に属する山側に石灰岩が露出している。明治以降、この石灰岩を粉砕して石積みに活用したため、狩浜に広がる段畑は白みを帯びており（図12）、収穫期はオレンジ色の柑橘と白い段畑のコントラストが美しい。

西予市は二〇一三年に「四国西予ジオパーク」(2)として認定され、狩浜の段畑もジオポイントの一つとなった。住民は自ら研修を重ねてガイドとなり、「段々畑のガイドさん」を設立した。現在は一五名のガイドが登録されており、地域づくり組織「かりとりもさくの会」と連携し、年間約四〇〇名の来客に対応している。

図12　石灰岩でできた柑橘畑（西予市狩浜）

（2）　日本ジオパーク委員会によって認定。西予市は、海抜ゼロメートルのリアス式海岸から一四〇〇メートルの高原地帯に及び、多様な地質と暮らしがある。

ガイドは段畑を案内するだけではなく、狩浜の生業である漁業、山と海のつながり、地区の祭り等の多岐にわたる話題を提供してくれる。その根底となったのは段畑の景観と暮らしの調査であり、体系的にまとめられた成果が評価され、狩浜は二〇一九年に「重要文化的景観」に指定された。

三秋の柱状節理

伊予市の明神山（六三四メートル）は、かつて地域にとって重要な意味を持っていたようだ。北部にある三秋《みあき》から山頂に至る途中には、石鎚神社と水之明《みずのみょう》神社があり、特に水之明神社は雨乞いが行われていたと伝えられ、水の便が悪かった当地にとって神聖な場所であった。文化八（一八一一）年に神階の最上位である正一位を朝廷から授かっている。

現在、これら二社は三秋の集落内に所在する正一位水之大明神社に移されているが、山中にその形跡が残っている。両社とその周辺の石積みには柱状節理《ちゅうじょうせつり》(3)を成す安山岩が用いられており、石鎚神社跡は細長い形状の石を巧みに組み合わせて高さのある祠が造られている（図13）。

図13　柱状節理の安山岩で組まれた石鎚神社跡（伊予市三秋）

祭事や植林が行われなくなった今、明神山への山道は過去五〇年程度閉ざされていたが、住民有

(3)　節理とは、マグマの冷却や地殻変動によって岩にできた規則性のある割れである。柱状節理とは、岩が柱状に割れたものを指す。

志がウラジロシダの生い茂る急斜面を刈り、道のない山中に道をつけ、二〇一九年に山頂までの登山ルートを開いた。非常に険しい道であるが、それ故に雨乞いへの期待が大きかったことが偲ばれる。

柱状節理は三秋の集落内でも確認でき、家や畑の石積みや境界などに用いられている。江戸期にはこの形状の特性を活かして、墓石にもよく利用されていたとのことである。

おわりに――石積み探訪のすすめ

石積みは風土と人の調和

本章では石積みを概略的に紹介してきたが、石積みを知るほどにそこを訪ねることが楽しく感じるようになった。石積みに惹きつけられるのは、その造形美もさることながら、土地の石を使って築かれた構造物に人々の暮らしぶりや様々な物語が読み取れるためである。風土と人の調和は、地域を理解するための足がかりにもなる。

デザイン性と多様性に触れる

石積みが何十年や時には何百年にもわたって崩れないようにするためには、積み方に決まりがある。それに忠実な仕事には機能美が感じられ、デザイン性にも優れている。また一方では、積み方に決まりがあっても地質によって石の性質も異なるため、機能やデザインは柔軟でなければならない。つまり、そこには土地ごとの変化を観察することができ、多様性を感じられることも面白さの一つである。

まずは訪ねてみることが大事

農山漁村の何気ない風景に溶け込んでいる石積みには物語が存在する。そして、物語の積み重ねが歴史である。石積みはそれらを静かに示している。景観の美しさとともに歴史を紹介することは、地域づくりの資源として大いに活用できる。本章で紹介した事例以外にも、愛媛には興味深い石積みが数多くある。石積みを訪れるにあたっては高度な知識がなくても良く、まずは見て触れていただきたい。

〔参考文献〕
(一) 国土地理院地図を参考に筆者作成
(二) 愛媛県集落実態調査(二〇一八年)

column

愛媛のダンス
──大学生の創造するダンスが、とにかく面白い！──

牛山眞貴子

最近、テレビで「踊るコマーシャル」を頻繁に目にする。ファッション、スポーツドリンク、食品、住宅、車、殺虫剤、携帯電話などで「踊るコマーシャル」は増殖中の様相を呈している。また、ダンスが中学校で、男女必修の体育の単元になって以降、踊る中学生が増加している。このようなダンスの社会化が進む中で、アートとして面白い新鮮なダンスはないかと問われたら、大学生のダンスを薦めたい。毎年秋から冬にかけて、大学生の創造するダンスが「文化のまち、まつやま」を席巻する。

愛媛県は、大学生が、ダンスアートのフロントランナーとして活躍している県である。その原動力になっているのが、松山大学ダンス部と愛媛大学ダンス部。ともに創部三〇年以上の歴史を持ち、全国大会やコンクールでも評価が高く、また国内外で活躍するプロのダンサーやアーティストを輩出している。

松山大学と愛媛大学のダンス部は、これまで「幼馴染」のように成長してきた。二大学が、全国でも珍しい「道ひとつ隔てただけのお隣りさん」であることから、交流することに何の障壁もなかった。一足先に発足した愛媛大学ダンス部が松山大学ダンス部の誕生を支え、その後愛媛大学ダンス部が解体寸前になったとき、松山大学ダンス部が支えた。こうして、二つのダンス部はダンスを通して、良き仲間・良きライバルの関係を構築するに至った。

一般的に大学生の発表会や公演は、観客数が少なく、また観客のほとんどが身内であったり、空席の目立つ会場が多い。ところが松山大学・愛媛大学のダンス公演には毎年たくさんの人が訪れる。松山大学ダンス部の定期公演は、毎年一一月に二日間の二回公演、愛媛大学ダンス部は一二月に二回公演、松山市道後にある「ひめぎんホール」（ホール・キャパシティ一〇〇〇人）などを使い、各々二〇〇〇人を集客する。つまり、一一月から一二月にかけて、約四〇〇〇人の来場者が大学生のダンスを見るためにホールへ足を運ぶ。他県のダンス関係者にこの集客数を話すと「アート系のダンス公演やパフォーマンスで、しかも大学生の公演に四〇〇〇人が来場するなんて、ありえない」と驚嘆の声を上げる。

また、観客層も、北は北海道、南は沖縄まで、子供からシニアまでと幅広い。二大学のダンス部員数は年によって増減はあるものの、大学生の運動部離れの逆風が吹く中で三〇人から五〇人をキープしており、部員の出身地も県内はもとより全国各地に及ぶ。このダンス部員の「全国区」が来場者の幅広さに繫がっており、各地の方言が会場で飛び交うのも、大学生の公演独特の楽しい風景である。

豆知識として、二大学ダンス部の概要を示す。

躍動する（松山大学）

挑戦する（松山大学）

⑴松山大学ダンス部

【部の沿革】

一九八六（昭和六一）年モダンダンス愛好会として発足。一九九二（平成四）年モダンダンス部に昇格。二〇〇四（平成一六）年ダンス部に名称変更。現在に至る。

【受賞歴】

全日本高校・大学ダンスフェスティバル（神戸）において、二〇一九（令和元）年第三二回大会まで、日本女子体育連盟理事長賞、特別賞（独創的な発想）ほか各賞を七回受賞、アーティスティックムーヴメント イン トヤマ（富山市）において二回受賞。

【大切にしていること、やりがいを感じていること】

多種多様なダンスに触れることを大切にしている。その中で、ダンスのジャンルの枠にとらわれない柔軟な発想力や創造力を身につけられるように日々励むことにやりがいを感じている。また卒業した先輩たちには、いつも支えられている。そのことからもタテのつながりの大切さを感じている。公演は学年ごとに作る作品や、学年の枠を飛び越えた作品などで構成し、バラエティに富んだ内容である。二〇一八（平成三〇）年が創部三〇周年であった。在学中だけでなく卒業後の人生においても、一生ものの仲間を得られる場だと思う。

(2) 愛媛大学ダンス部

【部の沿革】

一九八五（昭和六〇）年モダンダンス部発足。二〇〇〇（平成一二）年ダンスAZに名称変更。二〇一三（平成二五）年ダンス部に名称変更。現在に至る。

【受賞歴】

全日本高校・大学ダンスフェスティバル（神戸）において、一九八九（平成元）年第二回大会から出場。最高位である文部科学大臣賞を筆頭に、第四回から第二五回大会まで連続受賞を達成した。二〇一九（令和元）年第三二回大会まで、文部科学大臣賞、ＮＨＫ賞、神戸市長賞、日本女子体育連盟会長賞など各賞を合計二五回受賞。アーティスティックムーヴメント イン トヤマ（富山市）において六回受賞。

【大切にしていること、やりがいを感じていること】

郷土芸能、ストリートダンス、ジャズダンス、コンテンポラリーダンスなどダンスの種類は数多い。しかし、愛媛大学はどれか一種のダンスに固定・固執することなく、ダンスを創る。そして、自由な発想でテーマを紡ぎだし、フリースタイルで、全身全霊で踊る。二〇一九（令和元）年で三五回目の公演。地域に貢献する活動も実践しながら、大学時代だからこそ経験できることを積み上げていく。チームで創造した経験が教えてくれることと・・それは「自己有能感」「リスペクト」「今の自分を超えるために何をすれば良いかを探す思考力」。

独創的な発想（愛媛大学）

チームの和（愛媛大学）

今、愛媛県では、大学生が次世代文化支援の一翼を担っている。すでに松山大学・愛媛大学ダンス部が合同で取り組んでいるプロジェクトがあり、それは二〇〇六（平成一八）年から続いている。このプロジェクト＝「ダンスコラボえひめ」（公益財団法人愛媛県文化振興財団主催）は、大学生が愛媛県の東予・中予・南予の高校生とダンス作品を共同制作（コラボ）する全国でも例のない企画である。このように、地方の「ダンスアート」を牽引するパワーで、ダンスアートの小難しさや退屈さを吹き飛ばす大学生のダンスが、とにかく面白い。

秋の一日、是非、松山に来て、清々しく自由な体が醸し出す大学生のエネルギーに触れていただけたらと願っている。

紙とリサイクル

小松　洋

はじめに

ここでは「紙」と「リサイクル」をキーワードに愛媛の特徴をみていきたい。コンピューターが職場や家庭に導入されて約三〇年、スマホやタブレット端末が普及してから、かれこれ一〇数年経っているが、いまだに紙製品は日常的にいたるところで利用されている。新聞雑誌はもとより、書籍（本書『大学的愛媛ガイド』も紙である）、ノート・メモ帳、カレンダー、ポスター、飲料容器などなど、紙が活躍する場面は多い。その分、ごみを減らして持続可能な社会を実現するためには使用後の処理が重要となる。

1　紙のリサイクル

日常生活から出される紙類の流れを追って、愛媛県の特徴をみてみよう。現在、多くの自治体では紙類を分別して資源化している。筆者が住んでいる松山市では紙類を「新聞紙・折り込みチラシ」「五〇〇ミリリットル以上の紙パック」「段ボール」「本類・雑がみ」の四種類に分けることとなっている。分別の方法は各世帯に配布される『松山市ごみ分別はやわかり帳（以下、はやわかり帳）』に紹介されている。この冊子は松山市の公式ホームページからも閲覧、ダウンロードが可能である。また、同ホームページからは収集地域ごとのスケジュールを記したカレンダーや、分別の方法については英語版・韓国語版・中国語版のものもダウンロードが可能となっている。

『はやわかり帳』によれば、分別して出された紙類は、リサイクル事業者を通じて、新聞紙は新聞紙や印刷用紙、本類・厚紙（菓子箱など）と段ボールは、段ボールやボール紙など、紙パックはトイレットペーパーやティッシュペーパーに再生されている。紙によって再生される種類が異なるので、分別段階でしっかりと分けることが、再生される紙の品質を維持するためには必要である。また、再生段階でクリップやとじ具の金具などを除外して紙製品にすることは技術的に可能ではあるが、排出段階で外しておくことで、再生のコストを下げることができる。

さて、各家庭から収集された古紙は収集業者によって松山市内に数軒ある古紙問屋に集

図1　国道11号線から紙屋町方面をのぞむ

図2　伊予三島の大手製紙工場

められ、古紙問屋からはトラックなどで古紙再生業者や製紙業者に搬入される。愛媛県の東予地方は製紙業が盛んであり、県内外から出された古紙の再生拠点となっている。

ＪＲ伊予三島駅をおり、駅前の道を北上して三島中央一丁目交差点から国道一一号線を北東方向に八〇〇メートルほど進むと、製紙業関係の事業所が見えてくる。図1中央には大手製紙会社のビルと煙突がみえる[1]。このあたり数百メートル四方が「三島紙屋町」と呼ばれる地域であるが、その先数キロに渡り、国道一一号線沿線[2]に大小の製紙業者が密集している。図2は図1と同じ会社の海側にある工場遠景である。

さらに、北東部の川之江《かわのえ》地区にいたるまで、紙関連の事業所が続いている。川之江地区の一角にある「愛媛パルプ協同組合（図3）」では、古紙一〇〇パーセントの再生パルプを製造している。集められた古紙には書き込みや印刷によるインク類が染みこんでいるので、それらのインクを除去し、紙の繊維だけを集める必要がある。まだ紙の状態である古紙から、製紙原料となる再生パルプが製造される過程をみてみよう。ま

(1)　本章の写真は全て、本章筆者が二〇一七年二月以降に撮影したものである。一部の写真にはプライバシー保護のための処理を施した。

(2)　川之江三島バイパスではなく瀬戸内海側の方の道

ず、「再生パルプの品種に応じて計量ブレンドし、コンベアーで自動的に古紙を離解するパルパーへ投入」[3]する（図4）。パルパーとは、古紙を溶かすための大きな洗濯機のようなものである。次にパルパー内で水などと混ぜ「古紙を大きな羽でかき回し、小片に解きほぐして液状に」する。古紙はドロドロの液状になっているが、そこからインクを除去しやすくする工程として「ニーダー離解機」を通す。「ニーダーとは練る機械のこと」で、「古紙の印刷インクを効率よく均一に微細化して、浮選処理でのインク除去率を高め」るとのことである。続いて「〇・二ミリメートルほどの細かいフィルター」に通して「微細な異物を除去」する「除塵工程」が入る。次の工程では、紙繊維の親水性とインクの疎水性との違いを利用して、フローテーターという機械の内部でインクの成分を除去する。さらに、クリーナーというメガホン状の設備によって「細やかな砂などの微細異物を除去」する。最後に、デッカーマシンという設備によって、「古紙にすきこまれている水溶性の合成糊料や（中略）脱インク処理の際に使用した界面活性剤などの薬剤を水洗いする仕上げ」をおこなうことで、古紙一〇〇パーセントのパルプが完成する（図5）。このパルプを原料として製紙工場で紙製品が製造される。

東予の製紙業者で製造されている再生紙の一部は、愛媛県内の家庭や事業所から出された古紙を原料としている。それらの製品が、古紙を出した地域で活用されることで、地域完結型で文字通りのリサイクルの輪が回っているといえよう。なお、筆者の努めている大学において本章執筆時点で使用されているトイレットペーパーの一部は、大学から出された古紙を愛媛パルプ協同組合の製紙業者で再生したリサイクル製品である（図6）。

（3）カギ括弧内の説明は愛媛パルプ協同組合公式ホームページ「古紙の再生工程」より。https://aipa.or.jp/nature/mfg/ 二〇一九年三月二六日最終閲覧

図3　愛媛パルプ協同組合

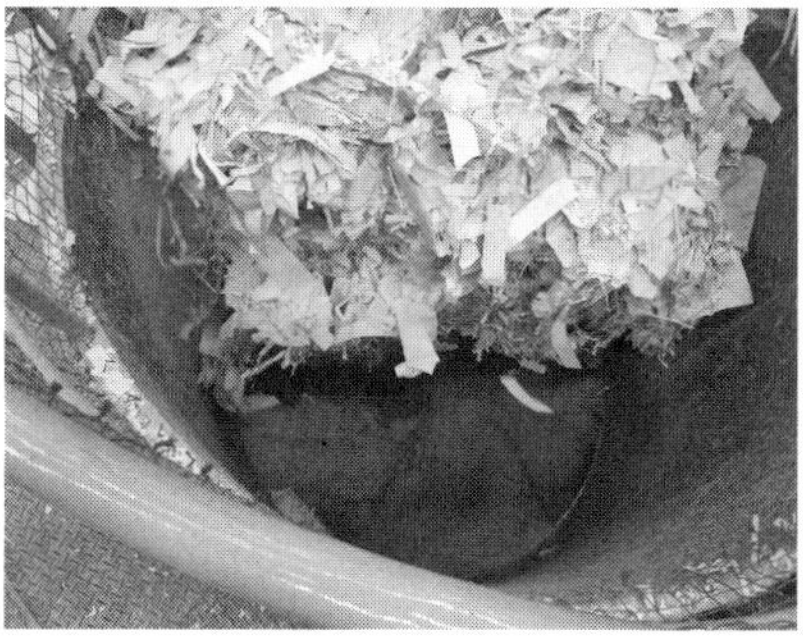

図4　パルパー

図5　完成したパルプ

図6　古紙パルプ100%使用のトイレットペーパー

2 紙をリサイクル

前節では東予の製紙業があることで、紙のリサイクルが地域社会全体で可能であることと、再生紙（の原料の）製造過程を概観した。ここからは、われわれが日常的に紙をリサイクルしたいときに何をすればよいか、また、何ができそうか考えてみよう。

先にも触れたように、紙は私たちの暮らしになくてはならないもので、使わずに済ますことはできない。しかも、一枚一枚は薄いものだが、新聞などはしばらくためておくと結構なスペースをとってしまう。そこで、まずは、住んでいる市町の回収日に分別してこまめに出すとよいだろう。

表1に、愛媛県下二〇市町の紙類の分別ルールをまとめた。これによれば、名称に若干の違いはあるものの、多くの市町で「新聞紙」、「ダンボール」、「雑誌・雑紙《ざつがみ》(4)」、「紙パック」の四種類に分けていることがわかる。わかりやすいのは「ダンボール（段ボール）」で、二〇市町全てで、ダンボールだけを単独に集めている。

「新聞紙」には「新聞紙・折り込みチラシ（松山市）」のようにチラシも可能であることが分別の名称として明記されているところや、分別ルールを記したカレンダーやパンフレットに「折り込みチラシも一緒に縛る（今治市）」などと指定しているものも含めて、一七市町で広告やチラシも新聞と一緒に出してよいとされている。一方、八幡浜市と上島《かみじま》町《ちょう》ではチラシは「雑誌」の区分で出さなければならないので注意が必要である。

(4) 市町によって「雑紙」を「雑がみ」と表記しているところもある。

表1　愛媛県下20市町における紙類の分別方法

市町	新聞・チラシ	ダンボール	雑誌・雑がみ	紙パック	雑紙のみ（雑誌と別々に出す指示）	シュレッダー
松山市	新聞紙・折り込みチラシ	段ボール	本類・雑がみ	紙パック		
今治市	新聞紙[1]	段ボール	雑誌・雑がみ	紙パック		
宇和島市	新聞[1]	ダンボール	雑誌・雑がみ	紙パック		
八幡浜市	新聞	ダンボール	雑誌[2]	紙製容器包装		
新居浜市	新聞紙[1]	ダンボール	雑誌・雑がみ	飲料用紙パック		
西条市	新聞(広告含む)	ダンボール	雑誌（教科書・辞書・単行本・雑がみ等含む）			
大洲市	新聞・広告	ダンボール	雑誌	紙パック	雑紙	
伊予市	新聞紙・折り込みチラシ	ダンボール類	雑誌類（雑紙）	紙パック類		
四国中央市	新聞[1]	段ボール	雑誌	牛乳パック	雑がみ	
西予市	新聞・チラシ	段ボール	雑誌・紙製容器包装類	紙パック		
東温市	新聞・広告紙	段ボール	雑誌・その他の紙製容器包装	紙パック		
上島町	新聞	段ボール	雑誌[2]、[3]			
久万高原町	新聞類[1]	段ボール	雑誌	紙パック	雑紙類	シュレッダーにかけた紙
松前町	新聞	段ボール	雑誌類[4]	紙パック		
砥部町	新聞・チラシ	段ボール	雑誌・雑がみ	紙パック		
内子町	新聞紙・新聞紙に入っている広告紙	段ボール	雑誌・冊子・厚紙・雑紙など	容量が500ml以上の飲料用紙パック		
伊方町	新聞[1]	段ボール	雑誌・雑紙	紙パック		シュレッダー紙
松野町	新聞紙・チラシ	段ボール	雑誌（週刊誌・単行本など）			
鬼北町	新聞紙・折り込みチラシ	段ボール	本・雑誌・教科書・ノート	飲料用紙パック		
愛南町	新聞[1]	ダンボール	雑誌			

出典：各市町の公式サイトより本章筆者が作成。分類品目は各市町の表記にしたがった。
　　　空欄は分別の指定がないことを表す。

1) 折り込みチラシも可、2) 広告チラシはここ、3) 雑紙類も可、4) シュレッダーした紙はここ名称としてわかりにくいのが「雑誌」と「雑がみ」であるが、西条市、内子町《うちこちょう》、松野町、鬼北町《きほくちょう》などで記されている紙の種類が分別のヒントとなろう。雑誌は週刊誌や月刊誌のいわゆる雑誌、雑がみは、お菓子やティッシュペーパーの箱などの容器に使われているような紙類、冊子は、綴じてあるパンフレットカタログ類を思い浮かべればよいだろう。雑誌と雑がみを一緒に縛って出してよい市町が多いが、大洲《おおず》市、四国中央市、久万高原町《くまこうげんちょう》のように「雑誌」と「雑がみ」を分けて集めているところもある。また、雑誌に書籍を含めているところもあるので、各市町の『はやわかり帳』を参照して正しい分類を守りたい。近年では、松前町のように、ごみ分別の仕方や収集スケジュールがわかるスマートフォン向けのアプリを配信しているところもある。

住んでいる地域以外のごみ分別ルールを調べて、その地域でごみを出すことを思い浮かべてみることもよいだろう。いつ・どこに・どんな容器や形態で、何を出すのか。いやいややると疲れてしまう。毎日の営みであるからこそ、分別やリサイクルを楽しめるようになりたい。

さて、これらの分別方法は各市町の統一ルールである。この統一ルールを念頭において、あなたが現在住んでいる地域のごみ分別状況を観察してみるのもよいだろう。一戸建てが多い地域では地区ごとのごみ集積所（ごみステーション）が設置されているだろう。どれくらいの範囲の人がそこを利用しているだろうか。町内会単位だろうか、もう少し広い範囲だろうか。紙類だけではなく、「燃えるごみ」「燃えないごみ」など他の種類も含めて、住民はごみの分別ルールを守っているだろうか。また、そこを掃除や管理をしているのは誰だろう。月番制で地域住民が順番にやっているところもあるかもしれない。マンションやアパートでは、その建物独自のごみ集積所を設置しているか。あるいは、一戸建ての地域と同様に、地域の集積所まで出しに行くのだろうか。独自の集積所の管理は大家さんや管理会社だろうか、居住者による輪番だろうか。さらには、分別ルールを守らないことによるペナルティー（収集してもらえず放置されるなど）はあるだろうか。逆に、集積所を介して地域の人々とのコミュニケーションが図られていることはないだろうか。熊本県水俣市のように、資源ごみ収集にあたり、地域の人々が集積所に集まって分別ルールを教え、教えられるという事例もある。以上は一例に過ぎないが、ごみの分別から、地域コミュニティーのあり方を考えるヒントを得ることもできるのである。

分別ルールを守るだけではなく、もう少し実践をしたいというときには、紙すき体験はいかがだろうか。四国中央市の紙のまち資料館では、体験学習として「手漉き和紙づくり」を行うことができる。

松山市の「まつやまRe・再来館（まつやまりさいくるかん、通称『りっくる』）」では、「手漉き和紙夢工房」と題して、牛乳パックを利用した手漉きハガキづくりを体験することができる。また、牛乳パックを再生して作った便箋や祝儀袋の販売も行っている。筆者は、環境関連のNPO法人と協力して、りっくるから紙すきのキットなどを借りて、環境イベントで紙すき体験によるハガキづくりの出展をしたことがある（図7、図8）。

手漉きハガキづくりの体験は次の手順で行われた。①来場者は図8右端にある包装紙（ほぼA4サイズ）を一枚選び、数センチ四方にちぎる。②ちぎられた紙片をジューサーに入れ、水を加える。これは普通の水道水でよい。③ジューサーにかけて、紙片と水を混ぜる。一

図7　手すきハガキづくり体験1

図8　手すきハガキづくり体験2

○秒もかからずに、紙片がドロドロの液状となる。この時点で紙の繊維がバラバラになっている。④液状の紙片を図8右にみえるハガキ大の四角い枠に注ぎ込む。この枠には網目状のフィルターがはめてあり、注ぎ込んだらその上からもう一枚フィルターをはめ込む。つまり、枠の中で液状の紙片がフィルターに挟まれたことになる。⑤フィルターの上から指で押して余分な水分を除き、繊維同士がからみやすくする。⑥十分に水分を除いたら、枠からフィルターと紙片のサンドイッチを取り出す。⑦フィルターに紙片が残らないように、片面ずつフィルターを外していく。この際に、水分をよくきっていないと、形がくずれてしまうので注意が必要である。片面のフィルターを外したら、図8中央やや左に見える布の上に置き、丁寧にもう片面のフィルターを外す。⑧ハガキ大の紙に布をかぶせ、上からアイロンをかけて余分の水分を飛ばせば、世界に一枚だけの再生ハガキの誕生である。子どもの体験者もいたので、フィルターを取り除くところと、アイロンをかけるところは担当者が行ったが、約一○分でハガキができあがった。自分で選んだ包装紙が一枚のハガキとして形を変える過程や、一見すると白い包装紙が、模様に入っていた差し色によってハガキになったときには白以外の色に変わるところなど、体験された大人にも子どもにも喜んでもらえたと思う。中には二度三度と体験する子どももいた。

3　和紙からみる愛媛

これまでは現在の紙とリサイクルの状況について一端を垣間見てきた。東予の製紙業と中予（特に松山）から出される古紙との関係については述べたが、では、南予はどうだろうか。「伝統産業とイノベーション」の章でも和紙について触れられているが、伝統的な和紙の生産は東予だけではなく南予でも行われている。一九九六年に発行された『和紙の手帖Ⅱ』では、愛媛県の和紙生産として、東予地方に伊予和紙（川之江市＝現在は四国中央市）と周桑《しゅうそう》和紙（東予市＝現在は西条市）があり、南予地方では、大洲和紙（五十崎町＝現在は内子町）があると紹介されている。沼井淳弘（一九九六）によれば、大洲和紙は「製品面では、特にミツマタを原料とした改良紙（主にかな用の半紙として使用）と障子紙が主力製品として特徴づけられ」るとのことである。

『和紙の手帖Ⅱ』は二〇年以上前に発行されたものであるが、大洲和紙はいまでも健在であり、株式会社天神産紙工場などで購入することができる（図9）。また、天神産紙工場でも紙すき体験ができるようである。

図9　大洲和紙の例

おわりに

単に座学で講義を聴いて知識を得るだけではなく、紙類やビン・缶といった資源化できるものを地域のルールに則して分別したり、紙すきによる再生紙作成のような体験によって理解が深まったり、関心が高まったりすることもあるだろう。先に挙げた紙のまち資料館やりっくるはもちろんのこと、環境学習の情報提供・体験学習は官民の別なく行われている。紙すき体験のキットは市販もされているようである。リサイクルだけではなく、ごみを減らしたり再利用したりする方法も含めて、暮らしを楽しむ方法は多い。興味がある読者は、いろいろと調べてみるとよいだろう。

〔参考文献〕
全国手すき和紙連合会『和紙の手帖Ⅱ』株式会社わがみ堂、一九九六年
沼井淳弘「大洲和紙」『和紙の手帖Ⅱ』三六―三七頁、一九九六年
松山市環境部清掃課『松山市ごみ分別はやわかり帳』松山市環境部清掃課、二〇一五年

良い水は紙づくりに不可欠（内子町を流れる小田川）

column

地域とSDGs教育
――地元小学校と連携したコミュニティファームの取り組み――

羽鳥剛史

松山市東雲町の北側にある東雲公園は、一九五五（昭和三〇）年に開設された児童公園である（図1参照）。この場所は、もともと松山城の外堀の一部にあたり、かつては「かわらけ堀」と呼ばれていた。戦後、戦災復興事業の一つとして、戦災によって焼けた瓦礫をこの堀に放り込んで埋め立て、現在の公園が完成した。それから今日に至るまで、普段は子ども達の遊び場や住民の憩いの場として利用されると共に、毎年夏には地元の盆踊り大会が開催される等、地域コミュニティを支える大切な場所となっている。また、同公園やその周辺には今も外堀や土塁の名残があり、この付近は昔の城下の街並みを偲ぶほぼ唯一の場所ともなっている。

東雲公園の一部の土地は、松山市内の街路樹の育苗場として利用されて以降、数十年の間、未利用地となっており、地元から有効利用の要望が挙がっていた。そこで、二〇一三（平成二五）年、地元自治会、松山市立東雲小学校、愛媛大学、地元NPO団体（えひめグローバルネットワーク、えひめ311）、自治体の協働の下、環境教育の一環として東雲公園未利用地を地元の子ども達と住民が共に野菜を育てるコミュニティファームとして活用する取り組みを開始した。

本取り組みでは、東雲小学校二年生が中心となり、地元住民、大学生、関係団体等のサポートの下、畑の耕し、苗植え、草抜きや水やり等の手入れ、収穫までの一連の農作業を約半年かけて体験する（図2参照）。これまで主にサツマイモの栽培に取り組んできたが、二〇一八年度（平成三〇年度）は、サツマイモに加えて、トマト、ナス、ピーマン等の夏野菜の栽培にもチャレンジした。また、収穫した野菜は、地域の防災訓練時の炊き出し用食材として活用し、地域の防災活動に役立てることも試みてきた。このような体験を通して、日頃自分達が食べ

4

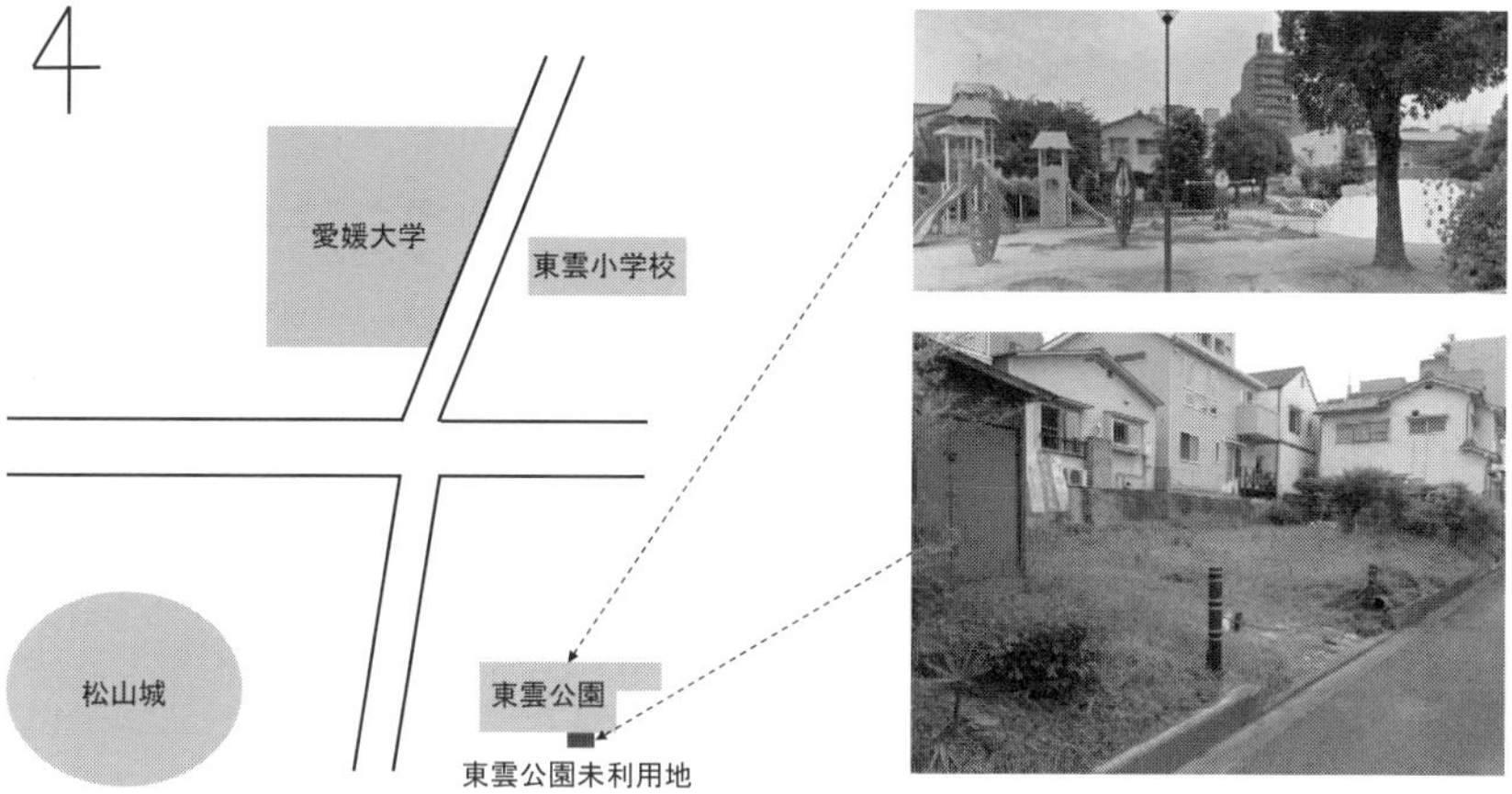

図1　東雲公園

図2　さつまいもの苗植え

ている野菜がどのように作られているかを学ぶと共に、地域との関わり合いを深め、地域共生のあり方を考えて実践することに、本取り組みの狙いがある。

　さて、本取り組みの初年度は、子ども達一人一人に野菜づくりに参加する前後にコミュニティファームについての絵を描いてもらった。その内容から子ども達がどのような学びや気付きを得たかを窺い知ることが出来る。例えば、図3は、ある児童の取り組み前後の絵を比較したものである。この絵からも分かるように、取り組みの前では、東雲公園の畑を鳥瞰的に描いた絵が多かったが、取り組みの後では、自分達が実際に畑に立って作業している目線で描いた絵が多く見受けられた。この結果は、今回の体験を通して、子ども達が農作業をより身近に感じるようになったことを示唆するものと言える。

　また、取り組み後の絵では、友だちや大学生、地元住民等、一

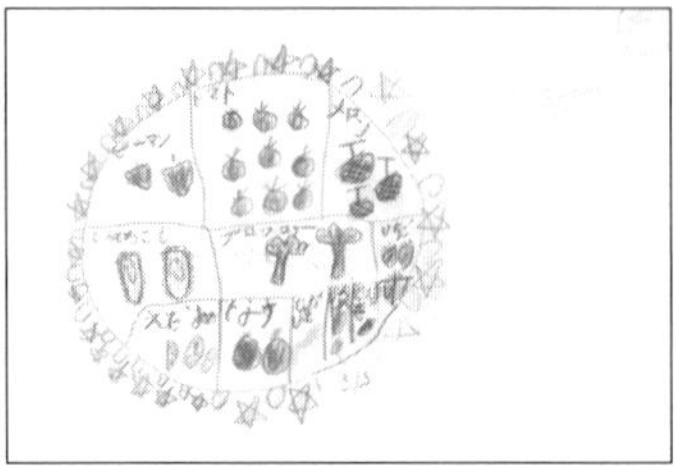

事前の絵

事後の絵

図3　子どもの描いた絵

緒に取り組んだ人たち、あるいはバッタやダンゴ虫、芋虫等、畑で発見した虫が多く登場した。実際に、本取り組みに参加した生徒五二名が描いた絵をその取り組み前後で比較したところ、事前の絵に登場する人物（平均一・二人）や虫の種類（平均〇・三種）よりも、事後の絵に登場する人物（平均七・九人）や虫の種類（二・六種）の方が多い傾向が見られた。この結果より、子ども達が、野菜づくりを通じて友達や地域の関係者との関わり合いを深めると共に、身近な地域に棲息する生物の多様性を感じ取った様子を窺い知ることが出来る。

その他、事前の絵に比べて、事後の絵の方が、茶系や黒系の割合が多くなり、赤や青系の割合が少なくなる傾向が見られた。現実の畑では、土や農機具等の地味な色が少なくなく、赤や青等の明るい色は少ないことから、子ども達が畑の現実的な姿を感じ取ったことが、彼らの描く色彩の変化に表れたものと思われる。

冒頭で述べた通り、東雲公園は、かつての街の記憶が残る歴史的な場所であると共に、地域コミュニティを支える大切な役割を果たしてきた。今回の取り組みが、子ども達の学びや地元住民との関わり合いを通じて、そうした公園の価値を次世代に継承・発展させていく契機になれば望外の喜びである。

〔参考文献〕

池田洋三『わすれかけの街　松山戦前・戦後』愛媛新聞社、二〇〇二年

環境省「みんなでつくろう！　防災コミュニティファーム～まちなかの公園が地域を守る農園に⁉～」『平成26年度持続可能な地域づくりを担う人材育成事業　ＥＳＤ環境教育モデルプログラムガイドブック②』二〇一四年

公民学の協働によるアーバンデザイン
――松山アーバンデザインセンター――

片岡由香

はじめに

近年、複雑で多様化するまちづくりの課題について、多主体による協働によって解決に取り組むことが求められている。そのような中、公民の連携を推進するために、〝学〟が間に入り、その中心となって専門的知識を活かし、各関係主体間の調整を図ることが期待されている。このような取り組みを進める中間的組織として「アーバンデザインセンター」の設置が全国で見られるようになった。アーバンデザインとは、快適で質の高い公共空間（外部空間）を生み出す行為のことである。既往報告においては、アーバンデザインセンター（以下、ＵＤＣ）について、①空間形成を主眼とする、②多様な主体が連携する、③開かれた拠点を持つ、④専門家が運営する、といった四つの資質を備えたものであると定義している。また、行政などの関係団体に提言するだけでなく、自らが主体的に活動を展開しており、実践的な活動団体である。故・北沢猛氏による構想のもと、二〇〇六年に「柏の葉アーバンデザインセンター（ＵＤＣＫ）」（千葉県柏市）が開設され、これを皮切りに全国で開設が進められている。本章では、そのＵＤＣの中でも、全国で初めて地方中核市の既成市街地に開設された「松山アーバンデザインセンター」（愛媛県松山市）の取り組みについて紹介する。

1　松山アーバンデザインセンター

組織設立の経緯

愛媛県松山市では、市内の公共空間が抱える課題に取り組むため、二〇一三年四月から体制構築などの準備を進め、翌年二月には、行政、大学、民間団体が連携した組織として「松山市都市再生協議会」（以降、協議会）を立ち上げた。同協議会のメンバーには、松山市内の四大学、鉄道会社、商工会議所、まち会社[1]、松山市が委員参画している。また、協議会設立と同時に、専門家が常駐する執行機関として「松山アーバンデザインセンター（以下、ＵＤＣＭ）」を発足させた（図１）。

（1）商店街や地元企業で構成される地域活性化活動に取り組む団体

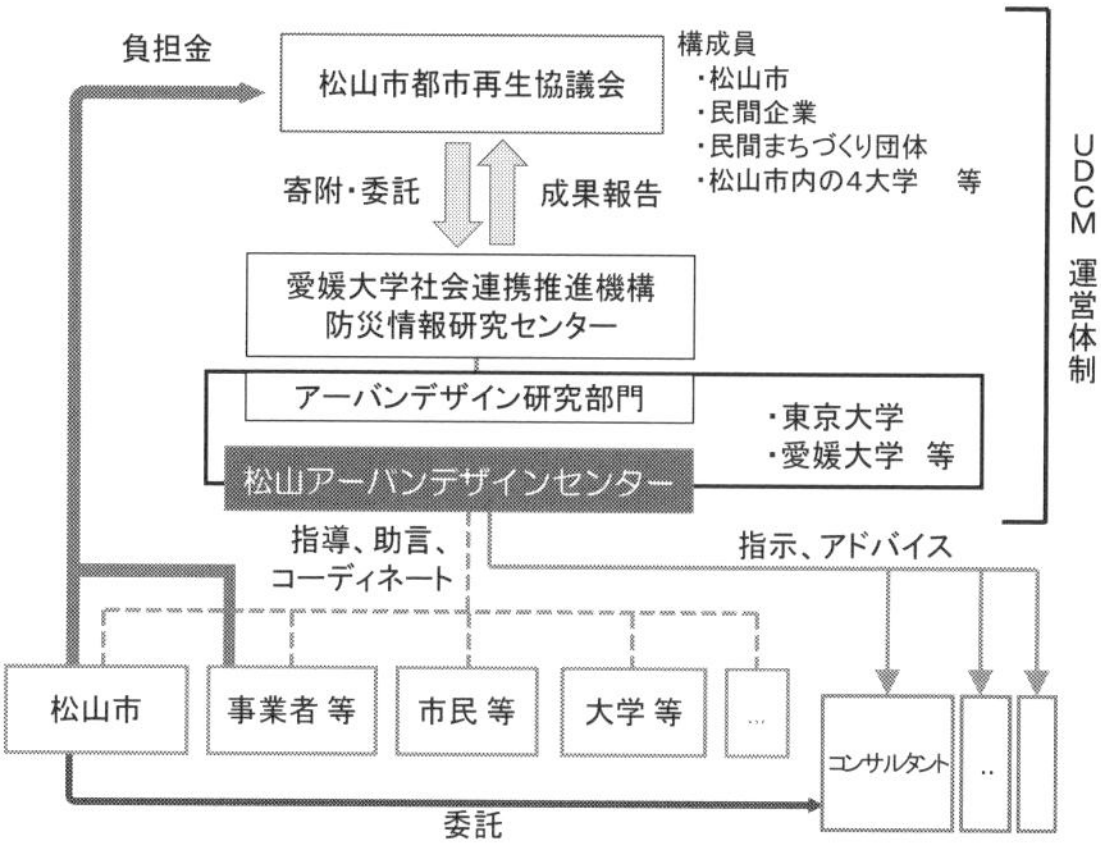

図1　UDCMと関連組織との関係図

運営体制

UDCMに係る運営や活動内容については、協議会において報告及び承認されている。人材については、愛媛大学の教員、受付事務スタッフおよび学生スタッフがUDCMに常駐している。また、大学教員だけでなく、建築家やコンサルタントの関係者もUDCMの非常勤スタッフとなっており、それぞれの専門に合わせて業務に取り組んでいる。

UDCMの活動拠点の概要

UDCMの活動拠点は、二〇一四年に愛媛県松山市（人口約五二万人）の中心部に整備され、二〇一八年までの四年間、松山銀天街商店街に近接する区画道路に面した民間の商業ビルの一階及び二階に構えていた（二〇一九年以降については後述する）。UDCMの一階は、来街者の休憩や交流、まちづくりに関わる会議やワークショップ、展示などのイベント、講座などに使用できる多目的スペース（面積二二〇㎡）として整備し、二階はスタッフのオフィスとしても使用していた。その対面には、コインパーキングであった民間所有地を整備し、ポケットパーク「みんなのひろば」（以下、広場）（写真1）をUDCMの活動拠点と同時に開設した。このように、不特定多数

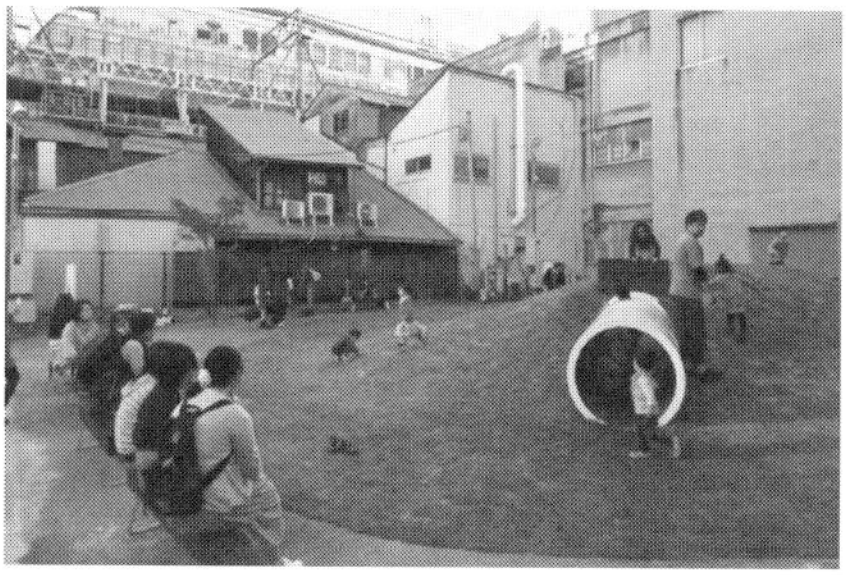
写真1　みんなのひろば（2014年11月〜2019年1月）

の来街者が公園として利用する空間（みんなのひろば）と、まちづくりに関する講演会やワークショップ（以下、ＷＳ）、会議、展示などの使い方が期待される空間（多目的スペース）が道路を挟んで向かいに位置しており、互いの空間の様子が目視できるような立地となっている（図２）。

これらの活動拠点やポケットパークについては、松山市の中心市街地賑わい再生社会実験として、市民参加のＷＳが実施され、そこで出された意見が空間に反映されている。ＷＳでは、具体的に広場や屋内の多目的スペース「もぶるテラス」でどのようなことをしてみたいか、空間を活用したイベントアイデアや、ルールについて意見を出し合った。また、広場にあったら良いと思うものについて議論し、土管や手押しポンプ、水場（噴水）など

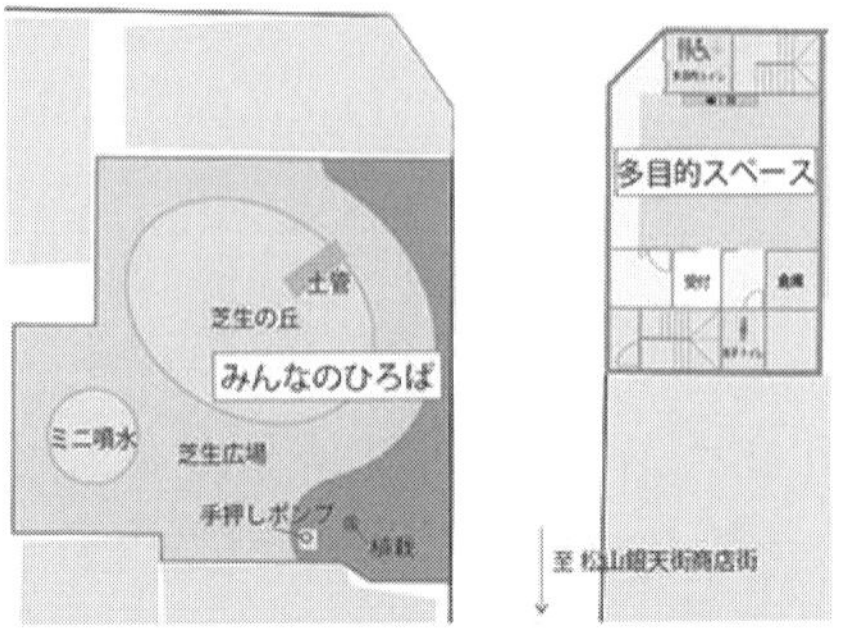

図２　みんなのひろばと多目的スペースの位置関係

写真２　UDCM運営の多目的スペース「もぶるテラス」

写真３　花園町通りに移転後のUDCM

が採用され、整備後は多くの市民に親しまれた。

UDCMの新しい活動拠点

二〇一九年一月からは、UDCMが景観整備に関与した松山市の花園町通り（花園町四―九岡田ビル1階、写真2、写真3）に活動拠点を移転し、活動を継続している。

2 UDCMの活動内容

UDCMのメンバーは、松山市内の空間計画や景観整備などの空間デザインマネジメント、まちづくりの担い手育成などのプロジェクトについて、行政や地域との協働により活動を遂行している。また、拠点に常駐しているため、行政や市民からのまちづくりに関する相談を常に受付けられるようにしている。

空間デザインマネジメント

空間デザインマネジメントについては、行政と各地域に関係する民間団体、コンサルタントの間に入り、アーバンデザインに関する支援を行っている。具体的には、大街道商店街の最北部（一番町大街道口）の景観整備事業（商店街入口部のテナントビルの建て替え工事に伴い、隣接するアーケードの一部（約二五〇㎡）を撤去することで溜り空間を創出し、交差点周辺の景観整備を実施するというもの）（写真4）への参加である。本事業では、コンサルタントか

写真4　整備後の一番町大街道口

らのデザイン提案を元にＵＤＣＭと市で協議し、検討・確認・助言を行った。この仕組みにより、デザイン面でのコントロールが多少可能となった（民間主導の事業であるため、ＵＤＣＭには決定権はない）。また、花園町通り（松山市駅から城山公園への目抜き通り）を対象とした景観整備について、地権者や行政関係者の間に入り、将来像を含めた議論の場になるように空間デザインや合意形成に関して助言を行った。加えて、関係者を対象としたＷＳを実施し、通りの空間デザインを検討する上での意見聴取を行った。

行政計画づくりへの支援

また、松山市による道後温泉活性化基本計画策定業務をＵＤＣＭが受託し、コンサルタントの協力を得て策定業務を行った。本計画は、地元旅館組合や商店街組合、行政等から構成される懇談会や審議会において定期的に計画内容の承認を図った。

二〇一四年夏には「Ｕ—３０　都市計画—都市設計提案競技　風景づくり夏の学校２０１４」を実施し、道後温泉本館の改修工事で経済的なダメージが懸念されていた道後温泉地区を対象に、全国の三〇歳以下の実務家や学生から、将来像や活性化に向けてのアイデア提案を募集した（コンペの開催）。本競技で入賞したチームは、同計画策定業務に関わり、一部のアイデアを計画に反映させた。

加えて、入賞したチームによるアイデア提案は、地元でのプレゼンテーション、WS、展示会などによって市民向けにプレゼンテーション（公表）の場を設けた。その公表の場に参加した市民より、共感の持てたアイデアを実現したいという申し出があり、後述の松山アーバンデザインスクールとも連携させて、実現させた。

写真5　アーバンデザインスクールでの活動の様子

人材育成とネットワークの構築

人材育成の活動として、「松山アーバンデザインスクール」というまちづくりの担い手育成講座を活動拠点開設当初の二〇一四年一一月より実施している。本講座は、松山市内に在住する学生だけでなく、一般市民も参加しており、松山市内のまちづくりの課題や楽しみ方について各自が発見をし、それらから各自でテーマを導き企画を立案し、実践まで行うというものである。

運営には、松山市内の四大学（愛媛大学・松山大学・松山東雲女子大学・聖カタリナ大学）の教員らが関わり、スクールの展開に協力を得ている。本プログラムは、スクール生が自ら主体となって、企画内容の具現化に結び付けていくというものであるが、そのためにはＵＤＣＭや各企画内容に関係する地元関係者、行政と協働しながら活動を展開していくことが必要となる。参加者の人材育成という役割だけでなく、本活動は、ＵＤＣＭ自体の地域との信頼関係の醸成や、新規のネットワーク構築の効果も得られている。また、活動場所は、ＵＤＣＭが関与している地域を選んでおり、空間の使い方の提案に繋がることが期待される。

情報発信

ＵＤＣＭの活動を展開していく上で情報発信は不可欠であるが、公式ＨＰ、ＳＮＳなどのほか、ＵＤＣＭ発行のパンフレットや活動通信、松山市発行の広報紙や新聞を通じて情報発信を行っている。これらに加え、二〇一五年四月より、地元ＦＭ局との協働によるラジオ番組の放送を行っている。同番組では、ＵＤＣＭの活動紹介や松山市長へのインタビュー、アーバンデザインスクールなどの活動と連携した情報発信を進めている。

おわりに

本章では、松山アーバンデザインセンターの概要およびその取り組みについて紹介した。その取り組みを概観すると、①多主体による交流を生み出す仕掛けづくり、②空間デザインマネジメント、③まちづくりの担い手育成、④情報発信の四つの活動の柱で説明することができる。これらの活動より、空間デザインについて、行政や各対象地域の地元関係者との間に入り、専門的立場からの助言や合意形成を図り、ＵＤＣＭが関わった空間・地域を舞台としてまちづくりの担い手を育成しつつ、活動の展開を図ることが、ＵＤＣＭの特徴および役割ではないかと考える。

〔参考文献〕

アーバンデザインセンター研究会「アーバンデザインセンター開かれたまちづくりの場」理工図書、二〇一二年
日本都市計画学会都市空間のつくり方研究会編『小さな空間から都市をプランニングする』学芸出版社、二〇一九年

●ま行●

●や行●

●ら行●

●た行●

●な行●

●は行●

索引

●あ行●

●か行●

●さ行●

二の鉄道外交」『愛媛近代史研究』第73号、愛媛近代史文庫、2019年など

松村暢彦（まつむら・のぶひこ）／愛媛大学社会共創学部教授・地域協働センター南予センター長／土木計画学／『わかる土木計画学』学芸出版社、2013年など

山中　亮（やまなか・あきら）／愛媛大学社会共創学部准教授／スポーツ社会学／『Tactical analysis through objective data in football』Insight – Spots Science, 2（1）、2020年など

林　恭輔（はやし・きょうすけ）／松山大学人文学部准教授／体育学／「伝統的な祭りにおける変容と発展」若林良和・市川虎彦（編）『愛媛学を拓く』所収、創風社出版、2019年など

藤田昌子（ふじた・あつこ）／愛媛大学教育学部教授／家庭科教育・生活経営学／『安心して生きる・働く・学ぶ―高校家庭科からの発信―』（共編著）開隆堂出版、2012年など

笠松浩樹（かさまつ・ひろき）／愛媛大学社会共創学部講師／農村経済学・森林政策／「無茶々園における農業人材の確保と育成」若材良和・市川虎彦（編）『愛媛学を拓く』所収、創風社出版、2019年など

牛山眞貴子（うしやま・まきこ）／愛媛大学社会共創学部教授／ダンス教育学／「ダンス指導のためのリーフレット」文部科学省、2011年など

小松　洋（こまつ・ひろし）／松山大学人文学部教授／環境社会学／「愛媛県のごみ排出の現状と情報源としての『分別辞典』」若林良和・市川虎彦（編）『愛媛学を拓く』所収、創風社出版、2019年など

羽鳥剛史（はとり・つよし）／愛媛大学社会共創学部准教授／土木計画学／『大衆社会の処方箋―実学としての社会哲学』（共著）北樹出版、2014年など

片岡由香（かたおか・ゆか）／愛媛大学社会共創学部講師／都市計画・空間デザイン／『小さな空間から都市をプランニングする』（共著）学芸出版社、2019年など

執筆者一覧（執筆順: 氏名／所属〔2020年 9月現在〕／専門分野／主要業績）

若林良和（わかばやし・よしかず）／愛媛大学副学長、南予水産研究センター・社会共創学部・大学院農学研究科教授／水産社会学／『水産社会論』御茶の水書房、2000 年など

市川虎彦（いちかわ・とらひこ）／松山大学人文学部教授／地域社会学／『保守優位県の都市政治』晃洋書房、2012 年など

山内　譲（やまうち・ゆずる）／元松山大学法学部教授／日本中世史／『海賊の日本史』講談社、2018 年など

槙林啓介（まきばやし・けいすけ）／愛媛大学アジア古代産業考古学研究センター・社会共創学部准教授／考古学／『河姆渡と良渚―中国稲作文明の起源―』（共著）雄山閣、2020 年など

井上正夫（いのうえ・まさお）／松山大学経済学部准教授／経済史学／『日本のお金の歴史（飛鳥時代～戦国時代）』ゆまに書房、2015 年など

村上恭通（むらかみ・やすゆき）／愛媛大学アジア古代産業考古学研究センター教授／考古学／『モノと技術の考古学　金属編』（編著）吉川弘文館、2017 年など

胡　光（えべす・ひかる）／愛媛大学法文学部教授、四国遍路・世界の巡礼研究センター長／日本近世史／『四国遍路の世界』（共著）ちくま新書、2020 年など

渡邉敬逸（わたなべ・ひろまさ）／愛媛大学社会共創学部准教授／地理学／「四国地方における無住化集落の分布と空間的特徴」『社会共創学部紀要』第 3 巻 2 号など

青木亮人（あおき・まこと）／愛媛大学教育学部准教授／近現代俳句／『近代俳句の諸相』創風社出版、2018 年など

福垣内　暁（ふくがいち・さとる）／愛媛大学紙産業イノベーションセンター准教授／材料化学／『ナノファイバーの製造・加工技術と応用事例～エレクトロスピニング、メルトブロー、延伸、解繊、成形加工技術～』技術情報協会、2019 年など

井口　梓（いぐち・あずさ）／愛媛大学社会共創学部准教授／観光学／「ニューツーリズムにより観光地域づくり」『ECPR』39 号、2017 年など

間々田理彦（ままだ・みちひこ）／愛媛大学大学院農学研究科准教授／農業経済学／「京築農協と苅田商工会議所の連携による地域活性化に関する取り組み」『総研レポート　農協と商工会・商工会議所との連携に関する調査』農林中金総合研究所、2019 年など

淡野寧彦（たんの・やすひこ）／愛媛大学社会共創学部准教授／地理学／『食と農のフィールドワーク入門』（共著）昭和堂、2019 年など

鈴木　茂（すずき・しげる）／松山大学名誉教授／財政学・地域経済学／『イギリスの都市再生とサイエンスパーク』日本経済評論社、2017 年など

寺谷亮司（てらや・りょうじ）／愛媛大学社会共創学部教授・地域共創研究センター長／地理学／『都市の形成と階層分化―新開地北海道・アフリカの都市システム―』古今書院、2002 年など

山口由等（やまぐち・よしと）／流通経済大学経済学部教授／日本経済史／「第 4 代国鉄総裁・十河信

大学的愛媛ガイド―こだわりの歩き方

2020年10月20日　初版第1刷発行

編　者　愛媛大学・松山大学「えひめの価値共創プロジェクト」
責任編集者　若林良和・市川虎彦

発行者　杉田　啓三
〒607-8494 京都市山科区日ノ岡堤谷町3-1
発行所　株式会社　昭和堂
振込口座　01060-5-9347
TEL(075)502-7500／FAX(075)502-7501
ホームページ　http://www.showado-kyoto.jp

印刷　亜細亜印刷

ISBN 978-4-8122-1936-2
乱丁・落丁はお取り替えいたします。
Printed in Japan

三津浜港船着場（松山市 坂の上の雲ミュージアム蔵）